*See page 187 for instructic ’s
MP3

LEARNAKAN VOCABULARY COMPANION

Stephen Awiba

LEARNAKAN BOOKS

Published by: LearnAkan Books
P.O. Box M248
Ministries, Accra
Ghana
learnakan@gmail.com

ISBN: 978-9988-2-9289-8

Layout, design & typesetting: Stephen Awiba

Cover Illustration: Pixabay (Public Domain Image)

Human body illustration: Openclipart (Public Domain Image)

Websites: www.learnakan.com
www.mytwidictionary.com

PREFACE

Having taught Twi to persons of diverse backgrounds over the years, I have developed a fair understanding of the needs of the average Twi learner. The most common questions that I receive daily are the ones that seek to find the Twi names of various items, concepts, states, etc. This is quite understandable as vocabulary expansion plays a key role in the learning and mastering of any language.

LEARNAKAN VOCABULARY COMPANION presents an extensive list of vocabulary items grouped under various thematic areas. The themes are carefully selected with both the non-Twi speaker and speakers who want to expand their vocabulary in mind. The book includes all the vocabulary lessons on www.learnakan.com, and much more.

LEARNAKAN VOCABULARY COMPANION *features:*

- 25 chapters.
- A sample dialogue introducing each chapter.
- Vocabulary lists grouped under different thematic areas.
- Phrasal/sentential usage examples of the vocabulary items.
- Grammatical pointers on the use of certain Twi words and constructions.
- A short quiz to test and help you remember what you learn in each chapter.

- A collection of 45 MP3 Audio files to be used with the book.

This e-book is ideal for persons travelling to Ghana, married to or dating Twi speakers, having Twi-speaking friends, and Twi speakers who want to expand their vocabulary.

ABOUT THE AUTHOR

STEPHEN AWIBA, known by his students as YAW, is the founding editor of LEARNAKAN.COM and MYTWIDICTIONARY.COM.

He was born and raised in Kumasi, the Ashanti regional capital of Ghana, where Akan (Asante Twi) is spoken as the first language. Besides being exposed to and acquiring Twi from birth, Yaw has had the privilege of studying Twi from the basic school level, through high school, and at the university.

He holds a bachelor's degree in Linguistics and Theatre Arts from the University of Ghana (UG) and an MPhil in English Linguistics and Language Acquisition from the Norwegian University of Science and Technology (NTNU).

ACKNOWLEDGEMENTS

I am most grateful to **Ɔyɔɔ** *(in loving memory)*, my Twi teacher from Senior High School, whose invaluable teachings and practical advice kindled my interest in the study and teaching of Twi. *Opanyin, da yie!*

My appreciation also goes out to Mrs. Paulina Agyekum, the current headmistress of Adventist Girls' Senior High School *(formerly Adventist Secondary Technical School)* in Ntonso, Ashanti region. Taking over from Ɔyɔɔ as the Twi teacher, Mrs. Paulina Agyekum's belief in me encouraged me to delve even deeper into the workings of the Asante Twi dialect of the Akan language. *Me Sewaa, wo nkwa so!*

Finally, to family and friends who, in diverse ways, contributed to the successful completion of this piece of work, I cannot thank you enough.

Meda mo nyinaa ase!

TABLE OF CONTENTS

CHAPTER

ONE

| Akan Atwerɛdeɛ

the Akan ALPHABET

A QUICK WARM-UP

Before we go on to recite and memorise the letters of the Akan (Twi) alphabet, let's do a little breakdown.

The Akan (Twi) alphabet is made up of twenty-two (22) letters. These 22 letters are made up of fifteen (15) consonants and seven (7) vowels. In Twi, consonants are referred to as **anom nnyegyeɛ**, and vowels are known as **ɛnne nnyegyeɛ**.

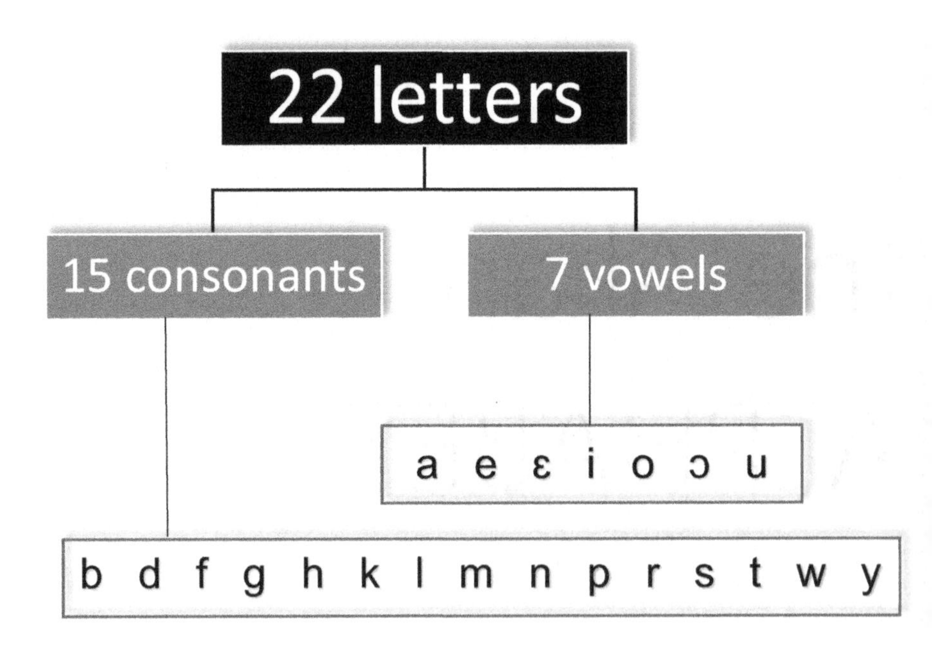

THE ALPHABET

Below, you will find the full set of the Akan (Twi) alphabet. The vowels and consonants are placed inside pink and blue containers respectively.

You will find that almost all the letters are similar to those that make up the English alphabet. Only the letters **'ɛ'** and **'ɔ'** looks alien to the English alphabet.

Aa	Bb	Dd	Ee	Ɛɛ
Ff	Gg	Hh	Ii	Kk
Ll	Mm	Nn	Oo	Ɔɔ
Pp	Rr	Ss	Tt	Uu
Ww	Yy			

SOME WORD EXAMPLES

This section presents a list of Twi words that contain each of the letters of the Akan (Twi) alphabet. Be sure to pick up some vocabulary while familiarising yourself with the letters of the alphabet.

LETTER	WORD	MEANING
Aa	**abirekyie**	goat
	akonnwa	chair
Bb	**bankye**	cassava
	borɔdeɛ	plantain
Dd	**dadeɛ**	metal
	dadoa	nail
Ee	**eduro**	medicine/drug
	ehu	fear *(noun)*
Ɛɛ	**ɛkɔm**	hunger
	ɛdan	house
Ff	**Fiada**	Friday
	fitaa	white
Gg	**go**	loosen
	gye	take
Hh	**hua**	smell
	honhom	spirit

Ii	**bidie** **edin**	charcoal name
Kk	**kasakoa** **kokoɔ**	idiom chest
Ll *(mainly used on loanwards)*	**ludu** **lɔre**	ludo lorry
Mm	**mukaase** **mankani**	kitchen cocoyam
Nn	**ntoma** **nkwan**	cloth soup
Oo	**opuro** **odwan**	squirrel sheep
Ɔɔ	**ɔkyerɛkyerɛni** **ɔsono**	teacher elephant
Pp	**prako** **paneɛ**	pig needle
Rr	**kyerɛ** **frɛ**	show call
Ss	**samina** **sapɔ**	soap sponge
Tt	**tɛkyerɛma** **tua**	tongue pay *(verb)*
Uu	**Wukuada**	Wednesday

	sukuu	school *(noun)*
Ww	**we** **wia**	chew steal
Yy	**yafunu** **yadeɛ/yareɛ**	stomach/abdomen disease/sickness

THE 'A', 'E' AND 'O' VOWELS

When speaking, words which contain the **'a'**, **'e'** and/or **'o'** vowels may be realised in two different sound forms:

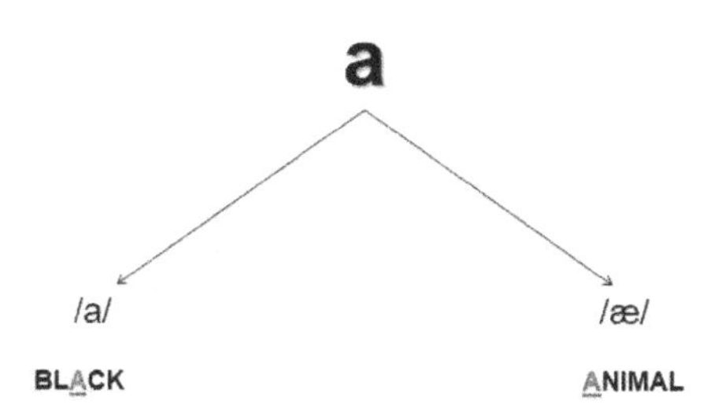

'a' may be realised as the regular /a/ sound that you find in the English word BL**A**CK, or as the /æ/ sound that begins the English word **A**NIMAL.

Below, you will find two sets of Twi words. The first set has words containing the vowel 'a' that is pronounced as the regular /a/ sound, and the second set has words with the vowel 'a' pronounced as /æ/.

as /a/

TWI	ENLGISH
anomaa	bird
adaka	box
akokɔ	fowl *(cock/hen)*
ankaa	orange
adanko	rabbit

as /æ/

TWI	TRANSCRIPTION	ENGLISH
barima	/bærima/	male/man
aduane	/æduanɪ/	food
ani	/æni/	eye *(noun)*
baabi	/bææbi/	somewhere
aburoo	/æburoo/	maize

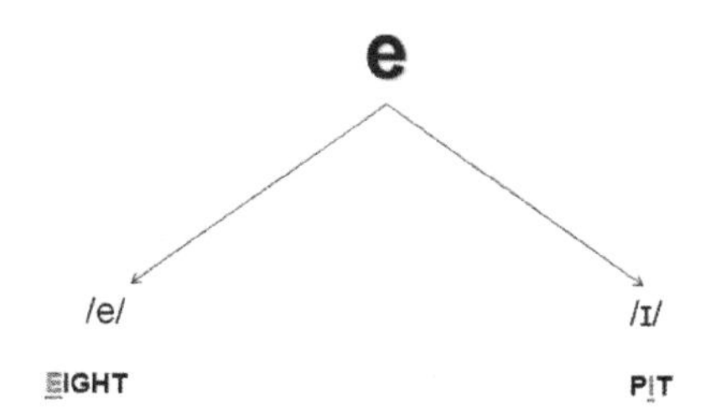

The vowel **'e'** can also be realised as the /e/ sound that you find in the English word EIGHT, or as the /ɪ/ sound that you find in the English word PIT. Let's look at some examples of Twi words containing both sounds.

as /e/

TWI	ENGLISH
edin	name *(noun)*
esum	darkness
esie	(ant)hill
keteke	train *(vehicle)*
efie	home

as /ɪ/

TWI	TRANSCRIPTION	ENGLISH
ketewa	/kɪtɪwa/	small
tenten	/tɪntɪn/	tall/long
sensene	/sɪnsɪnɪ/	peel *(verb)*
sere	/sɪrɪ/	laugh *(verb)*
kenkan	/kɪnkan/	read *(verb)*

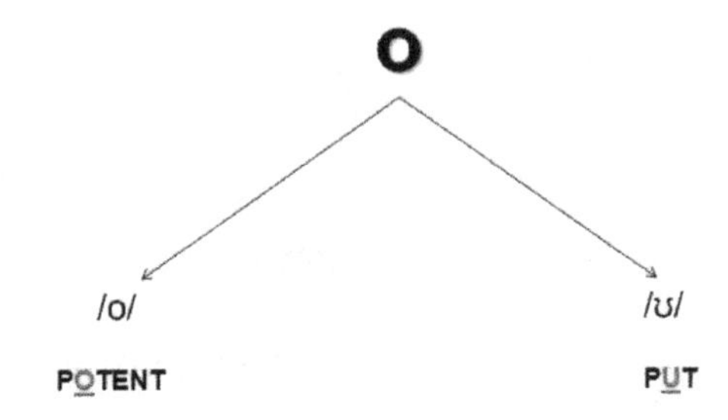

Lastly, **'o'** may be realised as the regular /o/ sound that you find in the English word PO̲TENT, or as the /ʊ/ sound that you find in the English word PU̲T. Let's look at sets of word examples in for each sound.

as /o/

TWI	ENGLISH
koko	porridge
afuo	farm *(noun)*
abufuo	anger *(noun)*
etuo	gun *(noun)*
aduro	medicine

as /ʊ/

TWI	TRANSCRIPTION	ENGLISH
soronko	/sʊrʊnkʊ/	unique
poma	/pʊma/	walking stick
adanko	/adankʊ/	rabbit
foro	/fʊrʊ/	climb *(verb)*
pono	/pʊnʊ/	door

Do note that the /æ/, /ɪ/, /ʊ/ variants are only realised when speaking and not written in standard Twi. When writing, these sounds are to be represented by the letters **'a'**, **'e'** and **'o'** respectively.

CONSONANT DIGRAPHS

Two consonants may come together to form a single sound known as a **consonant digraph**. In English, for example, the sound groups /th/ in 'path', /sh/ in 'shine', /ch/ in 'chew' are consonant digraphs.

The pronunciation of consonant digraphs in Twi prove particularly difficult for non-native speakers of Akan. For assistance with the pronunciations, readers of this book are advised to watch this video: https://www.youtube.com/watch?v=s7XQX5FmGXA.

Below is the list of consonant digraphs in Twi, with word examples of each.

DIGRAPH	WORD	MEANING
/gy/	**gyepim**	elephantiasis
	gyae	stop *(verb)*
	gye	take *(verb)*
/hy/	**hye**	burn *(verb)*
	hyɛ	wear *(verb)*
	afahyɛ	festival
/ky/	**ɛkyɛ**	hat
	kyiniiɛ	umbrella

	kye	fry/catch
	nyini	grow
/ny/	**nyinsɛn**	pregnancy
	nyansa	sense
	nwa	snail
/nw/	**nwanwa**	surprising
	nwansena	housefly
	dwane	bolt/run away
/dw/	**dwiri**	pull down *(e.g. a building)*
	dwonsɔ	urine/urinate
	ahwɛyie	carefulness
/hw/	**ahwehwɛ**	mirror
	hwɛ	look *(verb)*
	akwantuo	journey/travel *(noun)*
/kw/	**akwamma**	vacation/holidays
	akwadaa	child
	twi	dialect of akan
/tw/	**twerɛ**	write
	twerɛdua	pen/pencil

DIPHTHONGS

A diphthong is a sound formed by the combination of two vowels in a single syllable, in which the sound begins as one vowel and moves towards another. Examples of diphthongs in English can be found in words such as c**oi**n, l**ou**d, pr**ou**d.

Below is a list of diphthongs in Twi, with word examples of each.

DIPHTHONG	WORD	MEANING
/ie/	**efie**	home
	esie	(ant)hill
/ia/	**tiatia**	short *(adjective)*
	owia	sun
	tia	step on
/ue/	**bue**	open *(verb)*
	pue	exit/get out *(verb)*
/oɔ/	**ɔkorɔmfoɔ**	thief
	adamfoɔ	friend
	boɔ	stone/price
/ao/	**akao**	a kind of food
/eɛ/	**mfeɛ**	years
	nneɛma	things

/ei/	**yei** **kyei**	this an akan name
/uo/	**ekuo** **afuo** **asuo**	group *(noun)* farm *(noun)* river

CHAPTER

TWO

| Adeyɔ

VERBS

SAMPLE DIALOGUE 1 — *TRACK 1*

Ama: **Kofi, woreyɛ deɛn?**
Kofi, what are you doing?

Kofi: **Meresua adeɛ.**
I am studying.

Ama: **Ɛdeɛn na woresua?**
What are you studying?

Kofi: **Meresua Twi kasa ne atwerɛ mu mmara.**
I am studying Twi grammar.

Ama: **Yoo. Wowie a wobɛyɛ deɛn?**
Okay. When you finish, what will you do?

Kofi: **Mɛnoa aduane.**
I will cook (food).

VERBS | track 2

ENGLISH	TWI	USAGE
allow	**ma kwan**	**ma no kwan na ɔmmra** *allow him/her to come* **ma no kwan na ɔnnidi** *(allow him/her to eat*
annoy	**hyɛ abufuo**	**wɔhyɛ me abufuo** *they annoy me* **mehyɛɛ no abufuo** *(ɛ=past tense marker)* *I annoyed him/her*
bargain	**di ano**	**ɔdii ano** *(**i**=past tense marker)* *he/she bargained* **madi ano** *(**a**=perfect marker)* *I've bargained*
bathe	**dware**	**dware na da** *bath and sleep* **berɛ bɛn na wobɛdware?** *(**bɛ**=future marker)* *what time will you bath?*
beg	**pa kyɛw**	**mepa wo kyɛw** *I beg you/please* **yɛnkɔ pa ne kyɛw** *let's go and beg him/her*

beg/plead	**srɛ**	**mesrɛ wo, fa kyɛ me** *I beg/plead with you, forgive me* **Kofi srɛ ansa na wadi** *Kofi begs/pleads before he eats*
begin/start	**hyɛ aseɛ** **firi aseɛ**	**hyɛ aseɛ/firi aseɛ sua adeɛ** *Begin to learn* **afe no ahyɛ aseɛ** *(**a**=perfect marker)* *the year has begun*
bite	**ka**	**ɔwɔ ka** *snake bites* **kraman no aka me** *(**a**=perfect marker)* *the dog has bitten me*
bleach	**pɔ**	**wapɔ ne wedeɛ** *(**a**=perfect marker)* *he/she has bleached his/her skin*
blink	**bɔ ani**	**Kofi bɔ n'ani ntɛmtɛm** *(**n'**=possessive adjective)* *Kofi blinks fast* **aberanteɛ no bɔɔ n'ani kyerɛɛ ababaawa hoɔfɛfoɔ no** *(ɔ=past tense marker)* *the young man winked at the beautiful girl*
		ɔdwa n'anom dodo *he/she brags a lot*

brag	**dwa anom**	**Kofi redwa n'anom** *(**re**=progressive marker)* *Kofi is bragging*
bury	**sie**	**sie funu no** *bury the corpse* **sie dompe no** *bury the bone*
buy	**tɔ**	**tɔ nsa ma me** *buy me a drink* **mɛtɔ kraman ama wo** *(ɛ=future marker)* *I will buy you a dog*
carry	**soa**	**soa kɛntɛn no** *carry the basket*
cheat	**sisi**	**ɔdɔ asisi me** *(**a**=perfect marker)* *my love has cheated me* **ɔresisi me** *(re=progressive marker)* *he/she is cheating me*
chew	**we** **wesa**	**we nam no** *chew the meat* **we/wesa aburoo no** *chew the maize*
come	**bra**	**bra ha** *come here* **bra bɛgye** *Come and take/collect*
cough	**bɔ (ɛ)wa**	**adɛn na worebɔ wa saa?**

		why are you coughing like that?
crowd	**bɔ dɔmpem**	**adɔkotafoɔ no nso abɔ dɔmpem wɔ hɔ** *the doctors have also crowded there.*
cry	**su**	**ɔsuu wɔ ayie no ase** *(**u**=past tense marker)* *he/she cried at the funeral*
cut	**twa**	**twa samina no** *cut the soap* **twa ma me** *cut for me*
die	**wu**	**menwu da!** *(**n**=negative marker)* ***I will never die!***
do	**yɛ**	**yɛ adwuma no** *do the job* **woreyɛ deɛn?** *you are doing what?*
eat	**di**	**Yaw adi aduane no** *(**a**=perfect marker)* *Yaw has eaten the food* **medi banku** *I eat banku*
explain	**kyerɛ mu**	**kyerɛ mu ma me na mente aseɛ** *explain it for me for i don't understand* **ɔkyerɛkyerɛni no kyerɛɛ mu fann** *the teacher explained it clearly*
fade	**pa**	**ntoma no apa** *(**a**=perfect marker)* *the cloth has faded*

fart	**ta**	**woata, biribiara bɔkɔɔ deɛ?** *(**a**=perfect marker)* *You've farted, is everything alright?* **mɛnta wɔ ha** *(**n**=negative marker)* *don't fart here*
fetch *(water)*	**sa**	**sa nsuo brɛ me** *fetch me water* **sa wo ara wo nsuo** *(pronounced 'sa woaa wo nsuo)* *fetch your own water*
fry	**kye**	**kye nam no** *fry the meat* **merekye kosua** *(**re**=progressive marker)* *I'm frying an egg*
give	**ma**	**ma me aduane** *give me food* **ma me asomdwoeɛ** *give me peace*
go	**kɔ**	**kɔ fie** *go home* **kɔ na bra** *go and come*
gossip	**di kɔnkɔnsa** **di nsekuro**	**Ama ne Adwoa di kɔnkɔnsa/di nsekuro da biara** *Ama and Adwoa gossip every day.*

help	**boa**	**Owusu aboa me** *(**a**=perfect marker)* *Owusu has helped me* **maboa wo pɛn** *(**a**=perfect marker)* *I have helped you before*
hide	**sie**	**ɔde ne ho asie** *(**a**=perfect marker)* *(he/she has hidden him/herself)* **suban te sɛ nyinsɛn, wontumi mfa nsie** *(**n**=negative marker)* *character is like pregnancy, you cannot hide it.*
jump	**huri**	**huri kɔ soro** *jump up* **mehuri sɔ me nkonimdie** *I jump and catch my victory*
kiss	**fe ano**	**ɔfee m'ano mprɛnsa** *(**m'**=possessive adjective)* *he/she kissed me thrice* **fe n'ano** *(**n'**=possessive adjective)* *kiss him/her*
laugh	**sere**	**woresere me?** *(**re**=progressive marker)* *you are laughing at me?* **masere saa** *(**a**=perfect marker)* *I've laughed continuously*
learn/study	**sua**	**meresua atwerɛ** *I am learning to write*

		sua adepam *learn to sew*
lick	**tafere**	**tafere wo nsa** *lick your hands* **nkraman tafere wɔn kuro** *dogs lick their wound*
lift	**pagya**	**pagya dadeɛ no** *lift the metal* **pagya wo ti** *lift your head*
like	**pɛ** **ani gye ho**	**Kofi pɛ aduane** *Kofi likes food* **Ama ani gye Kofi ho** *Ama likes Kofi*
listen	**tie**	**tie nea mereka no** *listen to what I'm saying* **Mekasa a, wontie** *(**n**=negative marker)* *When I speak, you don't listen*
look	**hwɛ**	**hwɛ w'anim** *look forward* **hwɛ me** *look at me*
love	**dɔ**	**medɔ me yere** *I love my wife* **me maame dɔ me yie** *My mother loves me very much*
open	**bue**	**bue pono no**

		open the door **bue adaka no so** *open the box*
peel	**sensene**	**sensene bayerɛ no** *peel the yam* **sensene ankaa no** *peel the orange*
picket	**bɔ sesee**	**akyerɛkyerɛfoɔ no abɔ sesee wɔ ɔmanpanyin no fie hɔ** *the teachers have picketed at the president's house.*
press	**mia**	**mia so** *press on it*
rinse	**hohoro**	**hohoro kuruwa no mu** *rinse the cup (inside)* **hohoro toa no** *wash the bottle*
roast	**toto**	**toto nam no** *roast the meat* **aburoo a yɛatoto** *(**a**=perfect marker)* *A roasted maize*
sell	**tɔn**	**ɔtɔn kube** *he/she sells coconut* **Ama tɔn ankaa** *Ama sells oranges*
shout	**tea mu**	**adɛn na woretea mu saa?** *(**re**=progressive marker)* *why are you shouting like that?*

		woretea mu dodo *(**re**=progressive marker)* *you are screaming/shouting too much*
show	**kyerɛ**	**kyerɛ me wo din** *show me your name* **kyerɛ me wo suban** *show me your character*
sleep	**da**	**woada?** *(**a**=perfect marker)* *have you slept?/are you asleep?* **da na w'ani kum** *sleep for you are sleepy*
smear *(pomade)*	**sra**	**sra wɔn nku** *smear them with pomade*
speak	**kasa**	**kasa, meretie** *(**re**=progressive marker)* *speak, I'm listening* **kasa kɛse** *speak louder*
squat	**koto**	**koto fam hɔ** *squat on the floor* **wankoto a nka ɛbɔɔ no** *(**n**=negative marker)* *If he/she had not squatted, it would have hit him/her*
stop	**gyae**	**gyae su** *stop crying* **wonyɛ a, gyae** *if you won't do it, stop*
sweep	**pra**	**pra hɔ nyinaa**

		sweep the whole place **pra dan no mu** *sweep the room*
swindle	**bu**	**wɔabu me** *(**a**=perfect marker)* *They've swindled me* **Kofi abu me** *(**a**=perfect marker)* *Kofi has swindled me*
teach	**kyerɛ adeɛ**	**me kunu kyerɛ adeɛ** *My husband teaches* **Ama kyerɛ adeɛ wɔ ntoasoɔ sukuu mu** *Ama teaches in a secondary school.*
tear	**te**	**te krataa no** *tear the paper* **te so** *tear top (used to request a reduction in price of an item being bought)*
understand	**te aseɛ**	**wote aseɛ?** *do you understand?* **mente aseɛ** *I don't understand*
awaken	**nyane**	**sɛ menyane a, mɛba** *when I awaken (wake up), I will come*

		Kofi nyanee ntɛm *(**e**=past tense marker)* *Kofi awoke early*
wash	**si**	**si nnoɔma no** *wash the clothes* **Ama si nnoɔma Memeneda biara** *Ama washes clothes every Saturday.*
wear/put on	**hyɛ**	**hyɛ atadeɛ** *wear/put on a dress/shirt*
wipe	**popa**	**popa fam hɔ** *wipe the floor* **woapopa wo nsa?** *(**a**=perfect marker)* *have you wiped/cleaned your hands?*
write	**twerɛ**	**twerɛ wo dɔfo krataa** *write your loved one a letter* **twerɛ wo din** *write your name*

QUIZ 1

Fill in the blank spaces with the appropriate verbs (the Twi equivalents of the underlined English verbs)

Me din de Akosua. Me________ bayerɛ wɔ Kumase dwom.

My name is Akosua. I sell yam at Kumasi market.

Me kunu nso ___________________ wɔ ntoasoɔ sukuu mu.

My husband also teaches in a secondary school.

Me_____ me kunu yie ɛfiri sɛ ɔ_____ me kwan pii so.

I love my husband very much because he helps me in so many ways.

Anɔpa biara, ɔ_______ yɛn mma no nyinaa, na wama wɔn aduane adi.

Every morning, he baths all our children and gives them food to eat.

Ɔwie a, ɔde mfeano __________ me, na wa sɛ me ho te sɛn.

When he finises, he wakes me up with a kiss, and ask me how I am.

Okunu papa nono!

That's a good husband!

CHAPTER

THREE

| Edin Nkyerɛkyerɛmu

ADJECTIVES

SAMPLE DIALOGUE 2

Kofi: **Ama, bɛtie. Akosua se woyɛ akwadaa bɔne.**

Ama, come and listen. Akosua says you are a bad child.

Ama: **Ɛnyɛ nokorɛ! Meyɛ akwadaa pa!**

It's not true! I am a good child!

Kofi: **Ɛnneɛ wonyaa mpaboa mono yi wɔ he?**

Then where did you get this new shoe?

Ama: **Abarimaa tenten no na ɔtɔ maa me.**

The tall boy bought it for me.

Kofi: **O, aberanteɛ nimuonyamfoɔ no?**

Oh, that honourable young man?

Ama: **Aane.**

Yes.

ADJECTIVES | track 4

ENGLISH	TWI	USAGE
bad	**bɔne**	**akwadaa bɔne** *A bad child* **yafunu bɔne nnim sɛ masa** *a bad stomach doesn't care if you've administered the enema (proverb)*
scary	**hu** **huhuuhu**	**papa no anim yɛ hu** *the man's face looks scary* **ɛdan huhuuhu bɛn nie?** *what kind of scary house is this?*
beautiful/ handsome	**fɛ** **hoɔfɛfoɔ**	**ɔbaa/barima hoɔfɛfoɔ no dɔ no** *the beautiful/handsome lady/man loves him/her* **akwadaa no ho yɛ fɛ** *the child is beautiful/handsome*
big	**kɛseɛ**	**dua kɛseɛ no abu** *the big tree has fallen* **aboa kɛseɛ** *a big animal*
slim	**teatea**	**abaayewa teatea no kɔ sukuu** *The slim girl has gone to school.* **Adwoa yɛ teatea** *Adwoa is slim*
lean	**feaa**	**yareɛ ama mayɛ feaa**

		disease has made me lean
black	**tuntum**	**bidie no yɛ tuntum** *the charcoal is black* **ɔbaa tuntum deɛ, hwan na ɔmpɛ?** *as for a black lady, who doesn't like?*
brave	**kokoɔdurofoɔ**	**barima kokoɔdurofoɔ no** *The brave man*
fair *(complexion)* red	**kɔkɔɔ**	**Kofi yere yɛ kɔkɔɔ** *Kofi's wife is fair in complexion* **ntasu kɔkɔɔ** *red saliva*
fast	**hare**	**ne ho yɛ hare** He/she is fast
good	**pa**	**akwadaa pa** *a good child* **woyɛ adamfo pa** *you are a good friend*
honourable	**nimuonyamfoɔ**	**barima nimuonyamfoɔ no ada** *the honourable man is asleep*
new	**foforɔ** **mono**	**wafa suban foforɔ** *he/she has picked up a new behavior* **masi dan foforɔ** *I've built a new house*
old	**dada**	**nwoma dada no atete** *The old book's torn (into pieces)* **Nyame dada no ara**

		The same old God
short	**tiatia**	**Kofi yɛ tiatia** *Kofi is short* **mmarahyɛ badwani tiatia no aba** *the short parliamentarian has come*
small	**ketewa**	**ketewa biara nsua** *nothing is too small (not to be appreciated)* **akonnwa ketewa no yɛ me dea** *the small chair is mine*
tall	**tenten**	**Kwabena yɛ tenten** *Kwabena is tall* **ɔbuu dua tenten no** *he/she fell the tall tree*
white	**fitaa** **fufuo**	**ntoma fitaa** *a white cloth* **ɛse fitaa** *White teeth*

QUIZ 2

Match each Twi adjective to its English equivalent.

TWI	ENGLISH
kɛseɛ	small
bɔne	old
fitaa	black
dada	big
ketewa	short
tiatia	new
feaa	bad
tuntum	white
foforɔ	lean

CHAPTER

FOUR

| Ɔkyerɛfoɔ

ADVERBS

SAMPLE DIALOGUE 3 — TRACK 5

Ama: **Kofi, woatu kwan pɛn?**
Kofi, have you travelled before?

Kofi: **Dabi, mentuu kwan da. Adɛn?**
No, I have never travelled. Why?

Ama: **Ebia ɔkyena me ne m'awofoɔ bɛkɔ Nkran.**
Maybe tomorrow I and my parents will go to Accra.

Kofi: **O, Nkran deɛ me ne me maame taa kɔ hɔ.**
Oh, as for Accra I and my mother often go there.

Ama: **Na sɛ wose wontuu kwan da.**
But you said you have never travelled.

Kofi: **Aburokyire na na merepɛ akyerɛ.**
Abroad is what I meant.

ADVERBS | track 6

ENGLISH	TWI	USAGE
again	**bio**	**waba bio!** *he/she has come again!* **Kofi kɔ bio** *Kofi has gone again*
already	**dada**	**mafa m'adwen dada** *I've already made up my mind* **Kofi adidi dada** *Kofi has eaten already*
also	**nso**	**me nso mɛdi** *I'll also eat* **me bo afu nti ɔno nso bo afu** *I'm angry so he/she is also angry*
before	**pɛn**	**woasoa adeɛ wɔ wo tiri so pɛn?** *Have you carried an item on your head before?* **woanom nsa pɛn?** *have you drunk alcohol before?*
fast/early	**ntɛm**	**ɔkyerɛkyerɛni no kasa ntɛm dodo** *the teacher speaks too fast* **ɔsɔree ntɛm**

		he/she woke up early
first	**kane**	**Me na mekɔɔ hɔ kane** *I was the one who went there first* **Kofi duruu hɔ kane** *Kofi reached there first*
future	**daakye**	**mɛyɛ nipa titire daakye** *I will be a notable person in future* **mɛware wo daakye** *I will marry you someday/in the future*
happily	**anigyeɛ so**	**ɔsee no pɛ, na ɔgye too mu anigyeɛ so** *he/she proposed love to her/him, and she/he accepted happily* **ɔgyee no anigyeɛ so** *he/she received him/her/it happily*
here	**(ɛ)ha**	**da ha** *Sleep here* **fa to ha** *Put it here*
never	**da**	**Adwoa nsii nnoɔma da** *Adwoa has never washed clothes* **ɛnyɛ nwanwa sɛ ɔnwaree da** *it's not surprising that she has never been married*

often	**taa** *(compare this with the opposite 'seldom' below)*	**ɔtaa ba ha** *he/se often comes here*
outside	**abɔnten**	**Me papa wɔ abɔnten** *My father is outside* **Kɔ da abɔnten** *Go and sleep outside*
perhaps/ maybe	**ebia**	**ebia ɔbɛboa** *Perhaps/maybe he/she will help* **bisa no. Ebia ɔbɛba** Ask him/her. Perhaps/maybe he/she will come
quickly	**ahoɔhare so**	**Abena didi ahoɔhare so** *Abena eats quickly* **Akosua nantee ahoɔhare so** *Akosua walked quickly*
seldom	**ntaa**	**ɔntaa nkasa** *he/she seldom speaks* **Ama ntaa mma ha** *Ama seldom comes here*

slowly	**brɛoo** **nyaa** **nwaa**	**Kofi nante brɛoo/nyaa/nwaa** *Kofi walks slowly* **Yaa kasa brɛoo** *Yaa speaks slowly*
sometimes	**ɛtɔ da a**	**ɛtɔ da a mehuri, ɛtɔ da a menante. Me nono: adanko!** *Sometimes I jump, sometimes I walk. That's me: rabbit*
there	**(ɛ)hɔ**	**Kofi firi hɔ** *Kofi is from there* **kɔ hɔ** *go there*
tomorrow	**ɔkyena**	**Wobɛba ha kyena?** *Will you come here tomorrow?* **ɔkyena mɛtu kwan** *tomorrow I'll travel*

too	**dodo**	**ɛdan no mu yɛ hye dodo** *the room is too hot* **aduane no yɛ nwunu dodo** *the food is too cold*
top	**soro**	**Abaa no da soro** *The stick lies on top* **ɔde ato soro** *he/she has put it on top*
truly	**ampa**	**ampa, wonim de!** *truly, you are knowledgeable!* **ampa, wakwadare mu** *truly, you are skilled at it*
twice	**mprenu**	**Kofi didii mprenu** *Kofi ate twice* **Ama hwee ase mprenu** *Ama fell down twice*

very	**pa ara**	**ɔnim de pa ara** *he/she is very knowledgeable*
well	**yie**	**Kofi praa dan no mu yie** *Kofi swept the room well* **Ɔkyerɛ adeɛ yie** *He/she teaches well*
yesterday	**ɛnnora**	**ɔbisaa me din nnora** *he/she asked for my name yesterday* **ɛnnora medaa ntɛm** *yesterday I slept early*

QUIZ 3

Fill in the blank spaces with the right Twi adverb.

Agya Wusu: **Kofi, bra ______.**
Kofi, come here.

Agya Wusu: **__________, wokɔɔ he?**
Yesterday, you went where? (where did you go yesterday?

Kofi: **Mepa wo kyɛw, mekɔɔ wɔfa hɔ ______.**
Please, I went to uncle's place again.

Agya Wusu: **Ne ho te sɛn?**
How is he?

Kofi: **Ne ho yɛ. Ɔgyee me ______________.**
He is fine. He received me happily.

Agya Wusu: **Berɛ bɛn na wobɛdidi?**
When will you eat?

Kofi: **Mepa wo kyɛw, madidi ___________.**
Please, I have eaten already.

CHAPTER

FIVE

Nna

DAYS of the week

SAMPLE DIALOGUE 4 — TRACK 7

Kofi: **Da bɛn na wɔwoo wo?**

What day were you born?

Ama: **Wɔwoo me Memeneda. Nti na wɔfrɛ me Ama no.**

I was born on a Saturday. That is why they call me Ama.

Kofi: **Ampa!**

True!

Ama: **Na wo nsoɛ?**

And how about you?

Kofi: **Me nso wɔfrɛ me Kofi ɛfiri sɛ wɔwoo me Fiada.**

I'm also called Kofi because I was born on a Friday.

DAYS OF THE WEEK | track 8

The Akan people frequently name their children after the days of the week they are born. We refer to such names as **Kradin**. **'kra'** means **'soul'** and **'din'** means **'name'**. So, **'kradin'** translates into English as **'soul name'**.

Below, you will find the Twi names of the days of the week, as well as the respective **soul names (kradin)** given to males and females born on each day.

ENGLISH	TWI	MALE NAMES	FEMALE NAMES
Monday	**Ɛdwoada**	Kwadwo	Adwoa
Tuesday	**Ɛbenada**	Kwabena	Abena
Wednesday	**Wukuada**	Kwaku	Akua
Thursday	**Yawoada**	Yaw	Yaa
Friday	**Efiada**	Kofi	Afia
Saturday	**Memeneda**	Kwame	Ama
Sunday	**Kwasiada**	Akwasi	Akosua

QUIZ 4

Match the Twi names of the week to its English equivalent.

TWI	ENGLISH
Wukuada	Thursday
Memeneda	Sunday
Yawoada	Monday
Ɛdwoada	Friday
Efiada	Saturday
Ɛbenada	Wednesday
Kwasiada	Tuesday

CHAPTER

SIX

Abosome

MONTHS of the year

SAMPLE DIALOGUE 5 — TRACK 9

Ama: **Kofi, bosome bɛn na yɛwɔ mu yi?**

Kofi, which month are we in presently?

Kofi: **Ɔsanaa. Adɛn?**

August. Why?

Ama: **Mɛtu kwan Ahinime bosome mu.**

I will travel in the month of October.

Kofi: **Na sɛ Ahinime bosome yi mu ara na wobɛdi w'awoda.**

But it's within this same October that you will celebrate your birthday.

Ama: **Dabi. M'awoda wɔ Ɛbɔ bosome mu, ɛda a ɛtɔ so mmienu.**

No. My birthday is in the month of September, the second day.

MONTHS OF THE YEAR | track 10

ENGLISH	TWI
January	**Ɔpɛpɔn**
February	**Ɔgyefoɔ**
March	**Ɔbɛnem**
April	**Oforisuo**
May	**Kotonimma**
June	**Ayɛwohomumɔ**
July	**Kitawonsa**
August	**Ɔsanaa**
September	**Ɛbɔ**
October	**Ahinime**
November	**Obubuo**
December	**Ɔpɛnimma**

QUIZ 5

Match the months of the year in Twi to its English equivalent.

TWI	ENGLISH
Ɔsanaa	December
Obubuo	January
Ɔpɛpɔn	February
Oforisuo	November
Ahinime	March
Kotonimma	July
Ayɛwohomumɔ	April
Kitawonsa	August
Ɔpɛnimma	June
Ɔbenem	May

Ɔgyefoɔ	September
Ɛbɔ	October

CHAPTER

SEVEN

|Onipa Honam Akwaa

Human BODY PARTS

A DRAWING OF THE HUMAN BODY

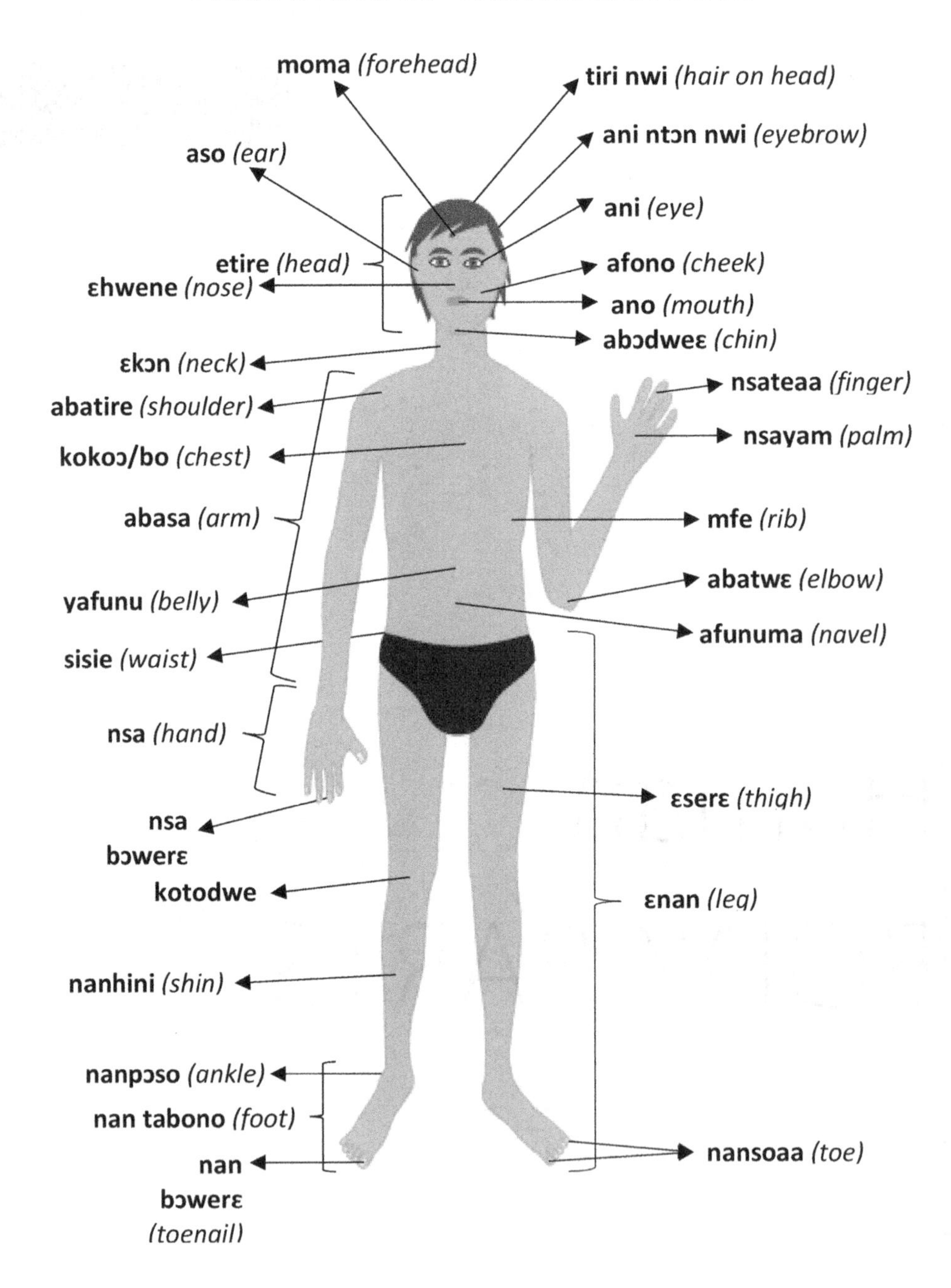

HUMAN BODY PARTS | track 11

ENGLISH	TWI
the human body	**nipadua**
body parts	**honam akwaa**
ankle	**nanpɔso**
arm	**abasa**
armpit	**amɔtoam(u)**
back	**akyire/akyi**
backbone	**berɛmo**
beard	**abɔdwesɛ**
belly	**yafunu**
bladder	**dwonsɔ twaa**
blood	**mogya**
bone	**dompe**
bone marrow	**akyim**
brain	**adwene**
breast	**nufoɔ**

buttock	**ɛtoɔ**
calf	**anantuo**
cheek	**afono**
chest	**kokoɔ/bo**
chin	**abɔdweɛ**
clitoris	**ɛtwɛba**
ear	**aso**
elbow	**abatwɛ**
eye	**ani**
eyeball	**ani kosua**
eyebrow	**ani ntɔn nwi**
eyelashes	**anisoatɛtɛ**
face	**anim**
finger	**nsateaa**
fingernail	**nsa bɔwerɛ**
flesh	**nam**
foot	**nan tabono**
forehead	**moma**

gall bladder	**bɔnwono**
gum	**ɛse akyi nam**
hair	**nwi**
hair *(on head)*	**etire/tiri nwi**
hand	**nsa**
head	**etire**
heart	**akoma**
heel	**nantini**
hip	**pa**
intestine	**nsono**
jaw	**apantan**
joint	**apɔ so**
kidney	**saa/sawa**
knee	**kotodwe**
leg	**ɛnan**
liver	**brɛbɔɔ**
lung	**ahrawa**
mouth	**ano**

mustache	**ano nwi**
nail	**bɔwerɛ** *(plural:* ***mmɔwerɛ)***
navel	**afunuma**
neck	**ɛkɔn**
nipple	**nufoɔ ano**
nose	**hwene**
occiput	**atikɔ**
palm	**nsayam**
pancreas	**tann**
pelvic region/lower abdomen	**ayaaseɛ**
penis	**kɔteɛ**
rectum	**kɔkɔbo**
rib	**mfe**
scruff	**ɛkɔn akyi nam**
shin	**nanhini**
shoulder	**abatire**
skin	**honam/wedeɛ**
skull	**tikwankora**

sole	**nan mmoromu/nan mu**
stomach	**yam (yafunum')**
temple	**asontɔrem**
testicle	**hwowa**
thigh	**ɛserɛ**
throat	**menemu**
toe	**nansoaa**
toenail	**nan bɔwerɛ**
tongue	**tɛkyerɛma**
tooth	**ɛse**
vagina	**ɛtwɛ**
vein	**ntini**
waist	**sisie**
womb	**awodeɛ**

QUIZ 6

Write the Twi names of all the numbered parts of the figure below.

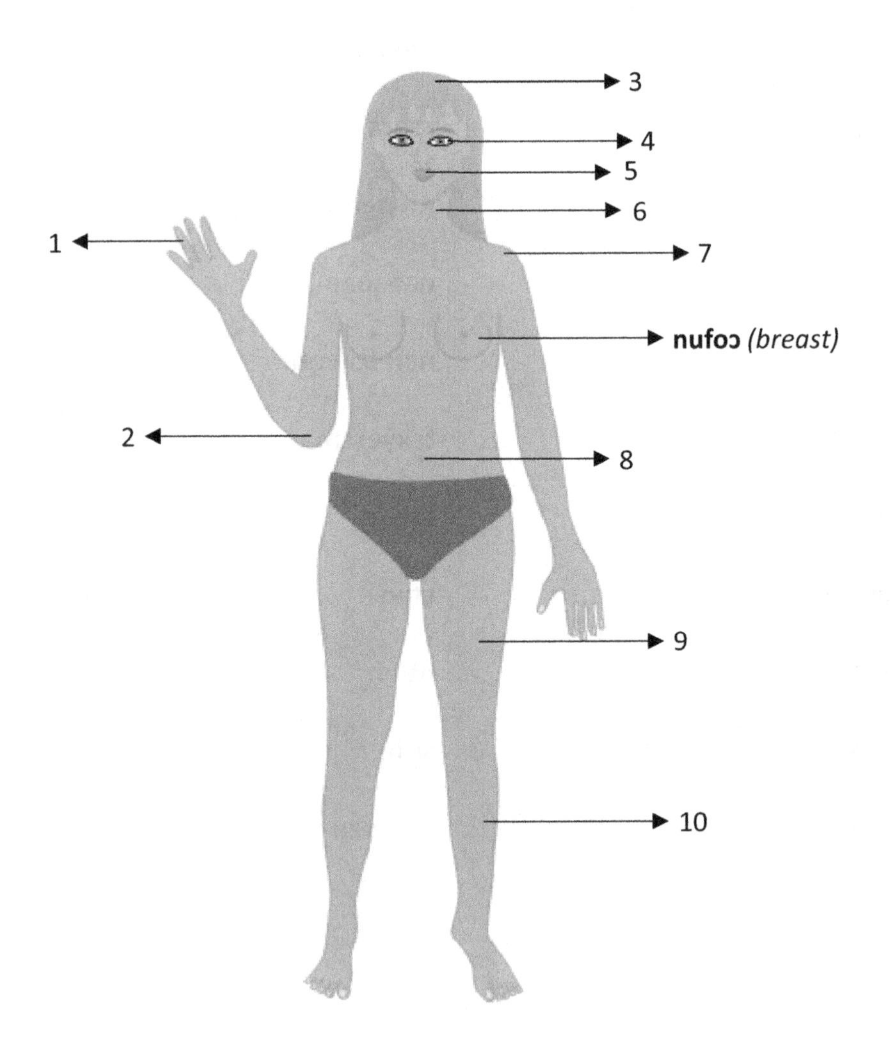

CHAPTER

EIGHT

Ahosuo

COLOURS

SAMPLE DIALOGUE 6 *TRACK 12*

Kofi: **Wonim Ghana frankaa ahosuo no nyinaa?**

Do you know all the colours of the Ghana flag?

Ama: **Aane. Kɔkɔɔ, sika kɔkɔɔ, ahabammono ne tuntum**

Yes. Red, gold, green and black

COLOURS | track 13

ENGLISH	TWI
red	**kɔkɔɔ**
black	**tuntum**
white	**fitaa/fufuo**
green	**ahabammono**
yellow	**akokɔ sradeɛ**
gold	**sika kɔkɔɔ**
blue	**bibire**
brown	**dodoeɛ**
grey/ash	**nsonso**
pink	**memen**
purple	**beredum** **afasebiri**

QUIZ 7

Write the Twi names of the colours of the Ghana flag.

1. ______________________________

2. ______________________________

3. ______________________________

4. ______________________________

CHAPTER

NINE

Akwankyerɛ

DIRECTIONS

SAMPLE DIALOGUE 7

Kofi: **Ama, wonim baabi a wɔtɔn ɛmo?**

Ama, do you know a place where they sell rice?

Ama: **Kɔ w'anim tee na mane wo nsa benkum so.**

Go straight ahead and turn to your left-hand side.

DIRECTIONS | track 15

ENGLISH	TWI
back	**akyire**
beside	**nkyɛnmu**
come	**bra**
east	**apueeɛ**
front	**anim**
go	**kɔ**
inside	**emu**
junction	**nkwanta**
left	**benkum**
left-hand side	**(nsa) benkum so**
middle	**mfimfini**
north	**atifi**
northeast/upper east	**atifi-apueeɛ**
northwest/upper west	**atifi-atɔeɛ**
right	**nifa**

right-hand side	**(nsa) nifa so**
roundabout	**ntwaho**
south	**anaafoɔ**
southeast	**anaafoɔ-apueeɛ**
southwest	**anaafoɔ-atɔeɛ**
stand	**sɔre/gyina hɔ**
straight ahead	**anim tee**
top/up	**ɛso/ɛsoro**
turn	**mane/dane**
under	**aseɛ**
way	**ɛkwan**
west	**atɔeɛ**

QUIZ 8

Fill in the spaces provided around the diagram below with the appropriate Twi terminologies.

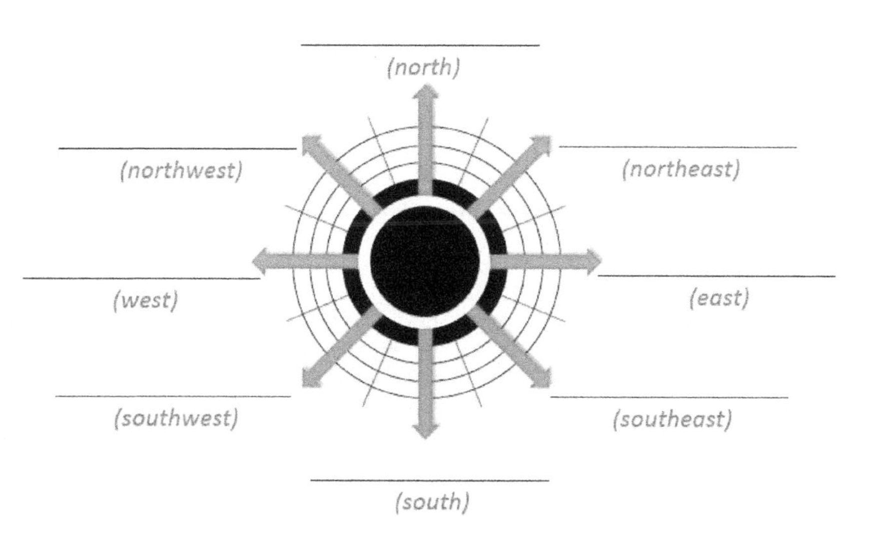

CHAPTER

TEN

Nnuane

FOODS

SAMPLE DIALOGUE 8 — *TRACK 16*

Kofi: **Ama, worekɔ he?**

Ama, where are you going?

Ama: **Merekɔ dwom.**

I am going to the market.

Kofi: **Ɛdeɛn na worekɔtɔ?**

What are you going to buy?

Ama: **Merekɔtɔ nam, mako, gyeene, nkosua, nkuruma, nkyene, bankye ne borɔdeɛ.**

I am going to buy meat, pepper, onion, eggs, okro, salt, cassava and plantain.

FOODS | track 17

ENGLISH	TWI
(cooking) oil	**anwa**
banana	**kwadu**
beans	**adua**
beef	**nantwinam**
bread	**paanoo/burodo**
cassava	**bankye**
coconut	**kube**
cocoyam	**mankani**
cocoyam leaves	**nkrontomire**
crab	**kɔtɔ**
dough	**ɛmmɔre**
egg	**kosua** *(plural:* ***nkosua****)*
fish	**nsuomnam**
flour	**esam**
garden egg	**nyaadewa**

ginger	**akekaduro**
herring	**ɛmane**
lemon	**ankaa twadeɛ**
lobsters	**mmɔnkɔ**
maize	**aburoo**
meat	**mogyanam**
mutton	**odwannam**
okro	**nkuruma**
onion	**gyeene**
orange	**ankaa**
palm fruit	**abɛ**
palm kernel	**adwe**
palm kernel oil	**adwe ngo**
palm oil	**(abɛ) ngo**
pawpaw	**borɔferɛ**
peanut/groundnut	**nkateɛ**
pear	**paya**
pepper	**mako**

pineapple	**aborɔbɛ**
plantain	**borɔdeɛ**
pork	**prakonam**
potato	**aborɔdwomaa**
rice	**ɛmo**
salt	**nkyene**
salted and dried tilapia	**koobi**
shea butter	**nkuto**
snail	**nwa**
sugar	**asikyire**
sugarcane	**ahwedeɛ**
tigernut	**atadwe**
tomato	**nɛnkyemɔɔno** **ntoosi**
vegetables	**atosodeɛ**
yam	**bayerɛ**

QUIZ 9

Provide the Twi names of the following in their respective boxes.

1. orange
2. banana
3. pepper
4. sugar
5. pineapple
6. potato
7. rice
8. flour
9. coconut
10. ginger

CHAPTER

ELEVEN

|Mmoa

ANIMALS

SAMPLE DIALOGUE 9 *TRACK 18*

Ama: **Yɛwɔ kraman.**

We have a dog.

Kofi: **Yɛn nso yɛwɔ agyinamoa**

We also have a cat.

Ama: **O saa? Ɛnneɛ sɛ monni akura baako mpo wɔ mo fie hɔ?**

Oh really? Then you don't have even a single mouse in your house?

Kofi: **Aane. Nkura suro nkra pa ara.**

Yes. Mice fear cats very much.

ANIMALS | track 19

ENGLISH	TWI
adder	**nanka**
alligator	**ɔmampam**
ant	**tɛtea**
antelope	**adowa**
baboon	**okontromfi**
bat	**apan**
bear	**sisire**
bedbug	**nsonkuronsuo**
bee	**wowa**
beetle	**ɔbankuo** **amankuo**
bird	**anomaa**
bird *(in general: feathered, beaked, winged animal)*	**ntakraboa**
bitch	**kraman bedeɛ**
boar	**prakonini**

bongo	**trɔmo**
bubul	**apatuprɛ**
buffalo	**ɛkoɔ**
bull	**nantwinini**
bush pig	**kɔkɔte**
bushbuck	**ɔwansane**
butterfly	**afofantɔ**
calf	**nantwieba**
camel	**yoma**
cat	**ɔkra** **agyinamoa**
cattle	**nantwie**
centipede	**sakasaka**
chameleon	**abosomakoterɛ**
chick	**akokɔba**
civet	**kankane**
cock	**akokɔnini**
cockroach	**tɛfrɛ**

cow	**natwi bedeɛ**
crab	**ɔkɔtɔ**
cricket	**katakyire**
crocodile	**ɔdɛnkyɛm**
crow	**anene** **kwaakwaadabi**
deer	**ɔforoteɛ**
dog	**ɔkraman**
donkey	**afunumu**
driver ant	**nkrane**
duck	**dabodabo**
duiker	**ɔtwe**
eagle	**ɔkɔdeɛ**
earthworm	**sonsono**
eel	**oyoyo**
elephant	**ɔsono**
ewe	**odwan bedeɛ**
flying ant	**asisirapɛ**

flying fox	**nankwaasere**
foal	**pɔnkɔ ba**
forest squirrel	**opurohemaa**
fowl *(cock/hen)*	**akokɔ**
frog	**apɔnkyerɛne** **apɔtorɔ**
goat	**apɔnkye** **abirekyie**
grasscutter	**akranteɛ**
grasshopper	**abɛbɛ**
ground squirrel	**amoakua**
guinea fowl	**akɔmfɛm**
hawk	**akorɔma**
hedgehog	**apɛsɛ**
hen	**akokɔ bedeɛ**
heron	**sukɔnkɔn**
hippopotamus	**susono**
hornbill	**akyenkyena**
horse	**pɔnkɔ**

housefly	**nwansena**
hyena	**pataku** **ofui**
leopard	**etwie** **ɔsebɔ**
lice	**edwie**
lion	**gyata**
lizard	**koterɛ**
locust	**ntutummɛ**
millipede	**kankabi**
monkey	**adoe**
mosquito	**ntontom**
mouse	**akura**
nightjar	**santrofi anomaa**
owl	**patuo**
pangolin	**aprawa**
pig	**prako**
porcupine	**kɔtɔkɔ**
praying mantis	**akokromfi**

rabbit	**adanko**
ram	**odwannini**
rat	**okusie**
red ants	**nhohoa**
scorpion	**nyanyankyerɛ**
shark	**oboodede**
sheep	**odwan**
snake	**ɔwɔ**
soldier ant	**hahini**
sow	**prako bedeɛ**
spider	**ananse**
squirrel	**opuro**
sunbird	**aserewa**
tadpole	**konkontiba**
termite	**mfɔteɛ** **nkanka**
tick	**sommorɔ**
tiger	**ɔsebɔ**

tortoise	**akyekyedeɛ**
tsetsefly	**huruiɛ**
turtle	**osudanna** **supurupu** **nsuom akyekyedeɛ**
vulture	**pɛtɛ** **kɔkɔsakyi**
wasp	**kotokurodu**
whale	**bonsu**
white-crested hornbill	**asɔkwaa**
wolf	**sakraman**
woodpecker	**abobɔnnua**

QUIZ 10

Fill in the blank spaces with the appropriate animal name in Twi (the Twi equivalents of the English animal names in blue).

Alidu ani gye mmoa ho pa ara.

Alidu likes animals very much.

Sɛ wokɔ ne fie a, wobɛhunu ______________, ______________, ______________, ______________, ______________ ne ______________.

If you go to his house, you will see a dog, cat, goat, sheep, pig and guinea fowl.

Mate sɛ ɔwɔ ______________ ne ______________ mpo.

I have heard he even has a horse and a lion.

Nipa saa deɛ, mentumi ne no mfa nnamfoɔ.

For such a person, I cannot be friends with him.

Megyedi sɛ ______________ mpo bɛwɔ ne dan mu.

I believe a snake may even be in his room.

CHAPTER TWELVE

| Nyarewa

DISEASES

SAMPLE DIALOGUE 10 TRACK 20

Kofi: **Ama, hwɛ wo ho yie wɔ saa abarimaa tenten no ho.**

Ama, be careful about that tall boy.

Ama: **Adɛn?**

Why?

Kofi: **Mate sɛ wanya babaso werɛmfoɔ yareɛ no bi.**

I have heard that he has contracted the HIV/AIDS disease.

Ama: **O, ɛnyɛ nokorɛ. Ɔte apɔ pa ara. Tipaeɛ mpo ɔnni bi.**

Oh, it's not true. He is very healthy. He doesn't have even a headache.

DISEASES | track 21

ENGLISH	TWI
amnesia	**awerɛfireyareɛ**
anaemia	**mogyaweɛ**
asthma	**ntehyeewa**
baldness	**apampampaeɛ**
barren	**bonini**
blindness	**anifira**
boil	**pɔmpɔ**
cancer	**kokoram**
breast cancer	**nufoɔ mu kokoram**
candidiasis *(yeast infection)*	**odeepua**
cataract	**ɛtɛ**
chicken pox	**mpete** **borɔmpete**
cholera	**ayamtubrafoɔ**
cold	**papu**
constipation	**ayamtim**

convulsion	**asensene** **ɛsoroyareɛ**
cough	**ɛwa**
dandruff	**ɛhoa**
deafness	**asosie** **asotire**
diabetes	**asikyireyareɛ**
diarrhoea	**ayamtuo**
dizziness	**anisobirie**
dumb	**mumu**
dysentery	**konkurowaa** **ɔdɔɔ**
eczema	**ɛkorɔ**
elephantiasis	**gyepim**
epilepsy	**ɛtwerɛ**
fever flu	**atiridii**
foot rot	**aporɔaporɔ**
goitre	**kɔmpɔ**
gonorrhea	**babaso**

haematuria	**dwonsɔmogya**
haemorrhoid pile	**kooko**
headache	**tipaeɛ**
heart disease	**akomayareɛ**
heat rash	**mfifinsaa**
hernia	**nkwoe**
HIV/AIDS	**babaso werɛmfoɔ**
hole in heart	**akoma mu tokuro**
hunchback	**akyakya**
hydrocele	**ɛtwo**
hypertension	**mogyaborosoɔ**
impotence	**kɔtewuiɛ**
itch	**ahokeka** **ahoɔhene**
jaundice	**huraeɛnini** **ebunu**
hiccup	**kɔterekɔ**
leprosy	**kwata**

lunacy	**adammɔ**
malaria	**atiridii** **huraeɛ**
male infertility	**krawa**
measles	**ntoburo** **ntɛnkyɛm**
menstrual pain	**anidane**
migraine	**asoroben**
miscarriage	**nyinsɛn pɔneɛ**
mumps	**gyemmirekutu**
nausea	**abofono**
paralysis	**mmubuo**
parkinson's disease	**awosoawosoɔ**
rash	**nsaa** **nkorosankorosa**
rheumatism	**ahotutuo** **sasaborɔ**
rib pain	**mpafe**
ringworm	**kakawirewire** **ɛyam**

shingles	**ananse**
skin cancer	**honam ani kokoram**
sleep paralysis	**amuntum**
sore throat	**menemukuro**
squint	**anikyew**
stomach ache	**yafunuyareɛ**
stroke	**nnwodwoeɛ**
stye	**dehyeɛ**
syphilis	**babasonini** **babaso kraman**
the crippled	**obubuafoɔ** **bafan**
toothache	**kaka**
ulcer	**kisikuro** **ayamkuro**
vomiting	**afeɛafeɛ**
waist pain	**sisiyareɛ**
whooping cough	**nsamanwa** **nkɔnkɔn**
wound/sore	**ekuro**

QUIZ 11

Match the following to its English equivalent.

TWI	ENGLISH
kɔmpɔ	cancer
pɔmpɔ	goiter
kokoram	gonorrhea
tipaeɛ	body itch
babaso	boil
aporɔporɔ	eczema
ɛkorɔ	headache
ahoɔhene	foot rot
ɛwa	cold

ayamtim	cough
papu	constipation

CHAPTER

THIRTEEN

| Apɔmuden

HEALTH

SAMPLE DIALOGUE 11 — TRACK 22

Ama: **Kofi, merekɔ asopiti.**
Kofi, I am going to the hospital.

Kofi: **Adɛn? Wo ho mfa wo?**
Why? You are not feeling well?

Ama: **Aane. Me ti repae me.**
Yes. My head aches.

Kofi: **Kɔ odunsini no hɔ mmom. Ɔde nhabamma na ɛyɛ n'aduro.**
Go to the herbalist instead. He uses herbs to prepare his medicine.

Ama: **Wogyedi sɛ mɛnya m'apɔmuden wɔ hɔ?**
You believe I will regain my health there?

Kofi **Aane.**
Yes.

HEALTH | track 23

ENGLISH	TWI
abortion	**nyinsɛn yiguo**
body odour	**honam kankan**
doctor	**dɔkota** **ɔyaresafoɔ**
enema	**asa** *(the act)* **asaduro** *(the concoction used)*
enema syringe	**bɛntoa**
health	**apɔmuden**
herbalist	**odunsini**
hospital	**ayaresabea** **asopiti**
male circumcision	**kɔtetwaeɛ**
medicine drug	**aduro**
syringe	**paneɛ**
herbal medicines	**nhaban nnuro**

QUIZ 12

Provide the Twi names of the following in their respective boxes.

1. syringe
2. doctor
3. hospital
4. medicine
5. body odour
6. herbalist
7. herbal medicine
8. enema syringe
9. health
10. abortion

CHAPTER

FOURTEEN

| Abusuabɔ

family/ RELATIONSHIPS

SAMPLE DIALOGUE 12 TRACK 24

Kofi: **Ama, wo papa wɔ fie?**

Ama, is your father home?

Ama: **Aane.**

Yes.

Kofi: **Na wo maame nsoɛ?**

And how about your mother?

Ama: **Ɔno nso wɔ fie.**

She is also home.

Kofi: **Woduru fie a, kyea wo wɔfa ma me.**

When you get home, greet your uncle for me.

Ama: **Ɔbɛte.**

He'll hear.

FAMILY/RELATIONSHIPS | track 25

ENGLISH	TWI
a loved one	**ɔdɔfoɔ**
adopted child	**abanoma**
baby	**abɔfra** **akwadaa**
bachelor	**osigyani barima**
boy	**abarimaa** **aberanteɛ** *(young man)*
boyfriend girlfriend	**mpena**
brother	**onua barima**
brother-in-law	**akonta**
cousin	**Onua** *(general)* **wɔfa ba** *(of an uncle)* **sewaa ba** *(of an aunt)*
daughter	**ɔba baa**
family	**abusua**
family head	**abusuapanin**

family member	**abusuani**
father	**agya** **papa** **ɔse**
father-in-law	**ase barima**
first-born child	**piesie** **abakan**
friend	**adamfoɔ**
girl	**abaayewa** **ababaawa**
grandparent grandchild	**nana** *(differentiated by intonation)*
grandfather	**nana barima**
grandmother	**nana baa**
great grandfather	**nana prenu**
great grandmother	**nana baa prenu**
husband	**okunu**
in-law	**asew** **ase**
last-born child	**kaakyire**

man	**ɔbarima**
maternal aunt	**maame** **maame nuabaa**
maternal uncle	**wɔfa**
mother	**ɛna** **maame** **oni**
mother-in-law	**ase baa**
niece nephew	**wɔfaase**
old man	**akɔkoraa**
old woman	**aberewa**
orphan	**agyanka**
parent	**ɔwofoɔ** *(plural:* ***awofoɔ****)*
paternal aunt	**sewaa**
paternal uncle	**agya** **papa** **papa nuabarima**
quadruplets	**ahenanan**

rivals	**akorafoɔ**
royal	**ɔdehyeɛ**
sibling	**onua**
sister	**onuabaa**
sister-in-law	**akumaa**
son	**ɔbabarima**
spinster	**osigyani baa**
triplets	**ahenasa**
twin	**ntafoɔ**
widow	**okunafoɔ** **ɔbaa kunafoɔ**
widower	**okunafoɔ barima** **barima kunafoɔ**
wife	**ɔyere**
woman	**ɔbaa**

QUIZ 13

Fill in the blank spaces.

1. **Wo papa papa yɛ wo ______________**

   Your father's father is your grandfather.

2. **Wo maame nuabarima yɛ wo _______**

   Your mother's brother is your uncle.

3. **Wo yere papa yɛ wo ______________**

   Your wife's father is your father-in-law.

4. **Wo yere nuabarima yɛ wo _________**

   Your wife's brother is your brother-in-law.

5. **Wo maame maame yɛ wo _________**

   Your mother's mother is your grandmother.

6. **Ɔbaa a ne kunu awu yɛ ____________**

   A woman whose husband has died is a widow.

7. **Ɔbarima a ɔnwareeɛ yɛ ____________**

   A man who is not married is a bachelor.

8. **Wo yere maame yɛ wo ____________**

   Your wife's mother is your mother-in-law.

CHAPTER

FIFTEEN

| Efie Nneɛma

HOUSEHOLD vocabulary

SAMPLE DIALOGUE 13 — TRACK 26

Ama: **Kofi, fa praeɛ no na pra mukaase hɔ.**

Kofi, take the broom and sweep the kitchen.

Kofi: **Na woreyɛ deɛn?**

But what are you doing?

Ama: **Merekɔtwitwi adwareeɛ hɔ.**

I am going to scrub the bathroom.

Kofi: **Yoo. Wowie a, mesrɛ wo hohoro kuruwa yi mu ma me.**

Okay. When you finish, please wash this cup for me.

HOUSEHOLD ITEMS | track 27

ENGLISH	TWI
(drinking) glass	**tɔmmɛ**
(eating) table	**didipono**
axe	**akuma**
basket	**kɛntɛn**
bathroom	**adwareeɛ**
bed	**mpa**
bedsheet	**mpasotam** **nnasoɔ**
blanket	**kuntu**
broom	**praeɛ**
bucket	**bokiti**
chair	**akonnwa**
chamber pot	**kuruwaba**
chamber/bedroom	**piam**
cloth	**ntoma**
comb	**afe**

cup	**kuruwa**
cutlass	**nkrantɛ**
dining place	**adidibea**
door	**ɛpono**
eyeglasses/spectacles	**ahwehwɛniwa**
fence	**ɛban**
wall	**fasuo**
fork	**adinam**
hall	**asaso**
hearth	**muka** **asommurofi**
kitchen	**mukaase**
knife	**sekammoa** **sekan**
ladle	**kwantere**
lantern	**kanea**
mat	**kɛtɛ**
matches	**burogya**
mirror	**ahwehwɛ**

mortar	**waduro**
needle	**paneɛ**
oven	**fononoo** *(pronounced 'foonoo')*
pen	**twerɛdua**
pestle	**wɔma**
pillow	**sumiiɛ**
pillowcase	**sumiiɛ nnuraho**
plate	**prɛte**
pomade	**nku**
radio set	**akasafidie** **akasanoma**
rag	**ntomago**
scissors	**apasoɔ**
sieve	**sɔneeɛ**
smoke	**wisie**
soap	**samina**
sponge	**sapɔ**
spoon	**atere**

towel	**towuro** **mpopaho**
umbrella	**kyiniiɛ**
veranda	**abranaa so**
window	**mpoma**
writing chair	**adamadwa**

QUIZ 14

Provide the Twi names of the following in their respective boxes.

1. basket
2. umbrella
3. matches
4. towel
5. spoon
6. needle
7. oven
8. ladle
9. chamber pot
10. cup

CHAPTER

SIXTEEN

| Ɛberɛ Ho Nsɛm

TIME expressions

SAMPLE DIALOGUE 14 *TRACK 28*

Kofi: **Ɔkyena anɔpa wobɛkɔ baabi?**

Tomorrow morning will you go somewhere?

Ama: **Dabi, menkɔ baabiara.**

No, I won't go anywhere.

Kofi: **Na awiaberɛ nsoɛ?**

And how about afternoon?

Ama: **Mɛkɔ abarimaa tenten no fie.**

I will go to the tall boy's house.

Kofi: **Na sɛ ɛnnora anwummerɛ wokɔɔ hɔ.**

But you went there yesterday evening.

Ama: **Aane. Ɛnnɛ koraa mɛkɔ hɔ.**

Yes. Even today I will go there.

TIME EXPRESSIONS | track 29

ENGLISH	TWI
time	**berɛ** *(plural: **mmerɛ**)*
morning	**anɔpa**
afternoon	**awiaberɛ**
evening	**anwummerɛ**
night	**anadwo**
midnight	**anadwo dasuom**
dawn	**ahemadakye**
early morning	**anɔpa tutuutu**
day	**(ɛ)da** *(plural: **nna**)*
two days	**nnanu**
three days	**nnansa**
four days	**nnanan**
five days	**nnanum**
six days	**nnansia**
seven days	**nnanson**

one week/eight days	**nnawɔtwe**
two weeks	**nnawɔtwe mmienu**
six weeks	**adaduanan**
yesterday	**ɛnnora**
the day before yesterday/two days ago	**ɛnnora akyi**
yesterday dawn	**ɛnnora ahemadakye**
yesterday morning	**ɛnnora anɔpa**
two days later	**nnanu akyi**
three days later	**nnansa akyi**
four days later	**nnanan akyi**
five days later	**nnanum akyi**
six days later	**nnansia akyi**
seven days later	**nnanson akyi**
one week later	**nnawɔtwe akyi**
two weeks later	**nnawɔtwe mmienu akyi**
today	**ɛnnɛ**
tomorrow	**ɔkyena**
the day after tomorrow	**ɔkyena akyi**

tomorrow evening	**ɔkyena anwummerɛ**
tomorrow morning	**ɔkyena anɔpa**
tomorrow night	**ɔkyena anadwo**
month	**bosome**
this month	**bosome yi**
next month	**bosome a ɛdi yɛn anim no**
last month	**bosome a ɛtwaa mu no**
year	**afe** *(plural:* ***mfeɛ****)*
this year	**afe yi**
next year by now	**afe sɛsɛɛ**
last year	**afe a ɛtwaa mu no**
noon/midday	**prɛmtoberɛ**
now	**seesei**
right now	**seesei ara**
soon	**ɛnkyɛ** **ɛnkyɛ koraa**
future	**daakye**
next time	**da foforɔ**

beginning	**ahyɛaseɛ** **mfitiaseɛ**
ending	**awieeɛ**
the beginning and the end	**ahyɛaseɛ ne awieeɛ**
this year's ending	**afe yi awieeɛ**
beginning of the month	**bosome no ahyɛaseɛ**
harmattan/dry season	**ɔpɛberɛ**
rainy season	**osutɔberɛ**
eternal	**afebɔɔ**

QUIZ 15

Fill in the blank spaces with the Twi equivalent of the English terms in blue.

_______________ mekɔɔ asɔre.

Yesterday I went to church.

Ɔsɔfo no ka kyerɛɛ yɛn sɛ, onipa ntena wiase _________ __________.

The preacher told us that, man will not live in this world eternally.

_______________ wote ase nso ebia na _______________ __________ ammɛto wo.

Today you are alive but you may not live to see tomorrow.

Ɔkyerɛɛ mu sɛ, yei nti na ɛho hia sɛ onipa biara yi Onyankopɔn ayɛ ______________, ______________ ne__ __________ nyinaa.

He explained that, this is it is important for every person to praise God each morning, afternoon and evening.

CHAPTER

SEVENTEEN

| Adwennade/Nneɛma a Wɔde Yɛ Adwuma

tools & EQUIPMENT

SAMPLE DIALOGUE 15 — TRACK 30

Ama: **Kofi, krado no safoa wɔ he?**

Kofi, where is the padlock's key?

Kofi: **Magya no wɔ dan no mu.**

I've left it in the room.

Ama: **Ɛnna woato mu no? Yɛbɛyɛ deɛn na yɛabue?**

And you've locked it? How do we open it?

Kofi: **Ɛmma no nha wo. Atwedeɛ wɔ ha.**

Don't let it bother you. A ladder is here.

TOOLS & EQUIPMENT | track 31

ENGLISH	TWI
axe	**akuma**
box	**adaka**
broom	**praeɛ**
calculator	**nkontabuo afidie**
chamber pot	**kuruwaba**
comb	**afe**
cutlass	**nkrantɛ**
dustpan	**asesawura**
enema syringe	**bɛntoa**
fork	**adinam**
hoe	**asɔ**
key	**safoa**
knife	**sekan** **sekammoa**
ladder	**atwedeɛ**
lantern	**kanea**

machine	**afidie**
metal	**dadeɛ** *(plural:* ***nnadeɛ****)*
mill	**nikanika**
mirror	**ahwehwɛ**
mortar	**waduro**
nail	**dadoa** *(plural:* ***nnadoa****)*
needle	**paneɛ**
padlock	**krado**
paper	**krataa**
pen	**twerɛdua**
pestle	**wɔma**
pickaxe	**fatuo dadeɛ**
planks	**ntaaboo**
radio set	**kasafidie**
rope	**ahoma**
saw	**asradaa**
scissors	**apasoɔ**
sewing machine	**adepam afidie**

shovel	**sofi**
sieve	**sɔneeɛ**
spectacles	**ahwehwɛniwa**
stone	**ɛbɔɔ** **ɛboba**
telephone	**ahomatorofoɔ**
washing machine	**nnoɔmasie afidie**
wood	**dua**

QUIZ 16

Provide the Twi names of the following in their respective boxes.

1. paper
2. telephone
3. shovel
4. radio set
5. needle
6. planks
7. rope
8. hoe
9. saw
10. axe

CHAPTER EIGHTEEN

Abirabɔ

ANTONYMS

SAMPLE DIALOGUE 16 — TRACK 32

Kofi: **Ama, yi nsɛmmisa yi ano.**

Ama, answer these questions.

Ama: **Yoo.**

Okay.

Kofi: **Sɛ ɛnyɛ apueeɛ a, na ɛyɛ ________________**

If it's not east, then it is ______________________

Ama: **Atɔeɛ.**

West.

Kofi: **Sɛ ɛnyɛ anaafoɔ a, na ɛyɛ ________________**

If it's not south, then it is ______________________

Ama: **Atifi.**

North.

Kofi: **Mo! Woayɛ adeɛ.**

Good job! You have done well.

ANTONYMS | track 33

WORD (TWI)	OPPOSITE (TWI)	ENGLISH
aane	**dabi**	yes/no
ababaawa	**aberewa**	young woman/old woman
aberanteɛ	**akɔkoraa**	young man/old man
abotrɛ	**abufuo**	calm/anger
abu so	**ɛho yɛ den**	abundant/scarce
adamfoɔ	**ɔtamfo**	friend/enemy
ahyɛaseɛ	**awieeɛ**	beginning/end
akyirikyiri	**bɛnkyɛeɛ**	far/near
anigyeɛ	**awerɛhoɔ**	happiness/sadness
anim	**akyire**	front/back
anom nnyegyeɛ	**ɛnne nnyegyeɛ**	consonants/vowels
apueeɛ	**atɔeɛ**	east/west
asɛmmisa	**mmuaeɛ**	question/answer
atifi	**anaafoɔ**	north/south
awareɛ	**awaregyaeɛ**	marriage/divorce

awɔ	**ahuhuro**	cold/hot *(weather)*
barima	**ɔbaa**	male/female
benkum	**nifa**	left/right
bisa	**yi ano** **bua**	ask/answer
bue	**to mu (tom)**	open/close
ɔdɔ	**ɔtan**	love/hatred
ɔdehyeɛ	**akoa**	royal/slave
ɔhɔhoɔ	**ɔmanni**	stranger/citizen
ɔkyerɛkyerɛni	**osuani**	teacher/learner
ɔnokwafoɔ	**ɔtorofoɔ** **kontomponi**	truthful person/liar
ɔnyansafoɔ	**ogyimifoɔ**	sensible/stupid person
ɔpɛberɛ	**osutɔberɛ**	dry season/rainy season
ɔteasefoɔ	**owufoɔ**	the living/the dead
da	**nyane** **sɔre**	sleep/wake up
dede	**komm** **dinn**	noise/quiet

den	**mmerɛ**	hard-difficult/soft-easy
dɛ	**nwono**	sweet/bitter
ɛha	**ɛhɔ**	here/there
ɛhann	**esum**	light/darkness
ɛma	**hwee**	full/empty
foro	**siane**	ascend *(climb)*/descend
hare	**nyaa**	fast/slow
hye	**nwunu**	hot/cold
hyira	**dome**	bless/curse
ka bom	**te firi mu**	add/subtract
kasa	**tie**	speak/listen
kɔ	**bra**	go/come
kɛseɛ	**ketewa**	big/small
kyekyere	**sane**	tie/untie
mono/foforɔ	**dada**	new/old
nini	**bedeɛ**	male/female *(attached to animal names to indicate their sex)*
nkonim	**nkoguo**	victory/defeat

nkwa	**owuo**	life/death
nkyene	**asikyire**	salt/sugar
nokorɛ	**ntorɔ**	truth/lie
ohiani	**osikani** **ɔdefoɔ**	the poor/the rich
ohufoɔ	**ɔkokoɔdurofoɔ**	coward/brave person
okunu	**ɔyere**	husband/wife
opanin	**akwadaa**	adult/child
papa	**bɔne**	good/bad
piesie	**kaakyire**	first-born child/last-born child
soa	**soɛ**	carry *(on the head)/*bring down *(from the head)*
ɛsoro	**ɛfam**	up/down
su	**sere**	cry/laugh
tɔ	**tɔn**	buy/sell
tenten	**tiatia**	tall/short
toa so	**twa so**	continue/halt
tuntum	**fitaa** **fufuo**	black/white

yareɛ	**apɔmuden**	sickness/health

QUIZ 17

Fill in the blank spaces with the appropriate antonym.

1. **Sɛ ɛnyɛ papa a, na ɛyɛ ______________**
   If it's not good, then it is bad.

2. **Sɛ ɛnyɛ mono a, na ɛyɛ ______________**
   If it is not new, then it is old.

3. **Sɛ ɛnyɛ hye a, na ɛyɛ ______________**
   If it is not hot, then it is cold.

4. **Sɛ ɛnyɛ kɛseɛ a, na ɛyɛ ______________**
   If it is not big, then it is small.

5. **Sɛ ɛnyɛ tenten a, na ɛyɛ ______________**
   If it is not long, then it is short.

6. **Sɛ ɛnyɛ owuo a, na ɛyɛ ______________**
   If it is not death, then it is life.

CHAPTER

NINETEEN

| Nkyerɛase Korɔ

SYNONYMS

SAMPLE DIALOGUE 17

Kofi: **Ɛnnɛ me papa kaa asɛm bi kyerɛɛ me nso mante aseɛ.**

Today my father said something to me but I did not understand.

Ama: **Saa?**

Really?

Kofi: **Aane. Ɔse menyini a, menyɛ 'ɔdefoɔ'. Hwan ne 'ɔdefoɔ'.**

Yes. He said when I grow up, I should become 'ɔdefoɔ'. Who is 'ɔdefoɔ'

Ama: **Aa! Kofi, 'ɔdefoɔ' ne 'osikani' kuta nkyerɛase korɔ.**

Ah! Kofi, 'ɔdefoɔ' and 'osikani' carry the same meaning.

Kofi: **Obi a ɔwɔ sika pii?**

Someone who has a lot of money?

Ama: **Saa pɛpɛɛpɛ!**

Exactly so!

SYNONYMS | track 35

WORD (TWI)	SYNONYM (TWI)	ENGLISH
abɔfra	**akwadaa**	child
adamfoɔ	**ɔyɔnkoɔ**	friend
ako	**ntɔkwa** **atwɛdeɛ**	fight *(noun)*/war
akoa	**ɔsomfoɔ**	slave
akwantuo	**batatuo**	journey
aniha	**akwadworɔ**	lazy *(feeling)*
asisie	**apoobɔ**	cheating/fraud
atɛnnidie	**adapaatwa**	insult *(noun)*
atiridii	**huraeɛ**	malaria/fever
bebree	**pii**	many
berɛ	**adaagyeɛ**	free time/leisure
bua	**yi ano**	answer *(verb)*
ɔkorɔmfoɔ	**owifoɔ**	thief
ɔkwasea	**ogyimifoɔ** **tibɔnkɔso**	idiot/stupid person

ɔnyansafoɔ	**ɔbadwemma**	sensible person
ɔsɔfoɔ	**ɔsɛmpakani** **Nyame nipa**	pastor/preacher
ɔyare	**ne ho mfa no** **ɔnte apɔ**	he/she is indisposed/sick
dwaeɛ	**ahantan**	pride
fɛwdie	**atweetwee**	ridicule *(noun)*
fitaa	**fufuo**	white
kɛseɛ	**kakraka** **bafuu**	big
komm	**dinn**	quiet/silence
mfitiaseɛ	**ahyɛaseɛ**	beginning
mono	**foforɔ**	new
onihafoɔ	**ɔkwadwofoɔ** **nsiyɛfoɔ**	lazy person
onipa	**ɔdasani**	human being
osikani	**ɔdefoɔ**	rich person
tenten	**ware**	long/tall
tipɛn	**afɛ**	age mate
trɛ	**bae**	wide

QUIZ 18

For each word below, give another Twi word that has the same or similar meaning.

1. adamfoɔ
2. batatuo
3. dinn
4. ɔsɔfoɔ
5. mfitiaseɛ
6. trɛ
7. akwadaa
8. fitaa
9. foforɔ
10. kɛseɛ

CHAPTER

TWENTY

Atwerɛdeɛ Mmienu Nsɛmfua

TWO-LETTER words

SAMPLE DIALOGUE 18

Kofi: **Ama, yɛnni agorɔ bi.**

Ama, let's play a certain game.

Ama: **Yoo, agorɔ bɛn?**

Okay, what game?

Kofi: **Yɛmfa atwerɛdeɛ mmienu nsɛmfua nko ara nni nkɔmmɔ. Firi aseɛ.**

Let's use only two-letter words to converse. Begin.

Ama: **Me se yɛ fɛ.**

My teeth are nice.

Kofi: **Wo ti so.**

Your head is big.

Ama: **Twɛn! Ɛnyɛ nokorɛ.**

Wait! It's not true.

TWO-LETTER WORDS | track 37

TWI	ENGLISH
ba	offspring
bo	chest *(noun)* beat *(verb)* booze *(verb)*
bu	break *(verb)* swindle respect *(verb)*
bi	some a certain... *(e.g. "akwadaa bi" meaning "a certain child")*
bɛ	proverb
bɔ	create *(applicable to god's act of creation)* kick *(verb)*
da	sleep *(verb)* day to solidify *(typically of oil e.g. "ngo no ada" meaning "the oil has solidified")*
dɛ	sweet *(adjective)*

di	eat
dɔ	weed *(verb)* deep *(adjective)* love *(verb)*
du	heavy *(adjective)* reach/arrive
fa	take *(verb)* half *(noun)* festival *(e.g. Asanteman rehyɛ fa" meaning "Asanteman is celebrating a festival")*
fo	climb *(verb)* cheap *(adjective)*
fi	filth leave *(verb)*
fe	vomit *(verb)*
fu	grow *(plant/weeds' growth e.g. "nwura no afu" meaning "the weeds have grown")* grow *(in anger e.g. "me bo afu" literally: "my chest has grown i.e. in anger")*
fɔ	wet *(verb)*

fɛ	beautiful/nice playmate/co-equal
ka	bite *(verb)* debt
ko	fight *(verb)*
ku	kill *(verb)*
kɔ	go *(verb)*
sa	fetch dance *(verb)* administer the enema
so	big top *(adjective)* reach required amount/quantity
si	wash *(verb)* happen/occur
sɔ	light *(verb)* catch *(verb)* drip *(verb)*
su	cry *(verb)* character
se	tooth/teeth

	say *(verb)*
sɛ	resemble *(verb)* that *(conjunction)*
go	loosen
gu	sow *(e.g. seed, verb)* put an end to *(e.g. "kofi agu agorɔ no" meaning "kofi has ended the game")* place on *(e.g. "fa gu fam" meaning "place on the floor/ground")*
ha	worry *(verb)* light *(weight, adjective)* here *(adverb)*
hi	wear off
hɔ	there *(adverb)*
he?	where?
hu	see fear *(noun)*
ta	fart *(noun)* tool for preparing banku *(a Ghanaian meal)*

	tool *(small pestle)* for grinding spices in earthenware pot
to	throw *(verb)* place *(verb)* bake buttock
te	tear *(verb)* hear *(verb)*
tɔ	buy *(verb)* drop *(verb, applicable to rain)* die *(idiom)*
tu	dig *(verb)* uproot fly *(verb)* pack out of residence/to vacate
ti	pinch *(verb)* head *(noun)*
tɛ	hide *(verb)*
ma	give *(verb)* full *(adjective)*
mu	inside

me	I *(1st person singular subject pronoun)* me *(1st person singular object pronoun)* my *(1st person singular possessive adjective)*
mo	you *(2nd person plural subject pronoun)* you *(2nd person plural object pronoun)* your *(2nd person plural possessive adjective)*
mo!	kudos!/good job!
na	and *(for conjoining clauses)*
ne	and *(for conjoining individual elements)* defecate
no	the *(definite article)*
ni	this is *(e.g. "kofi ni" meaning "this is kofi")*
nu	harvest *(verb, typically applicable to palm fruit e.g. "nu abɛ no" meaning "harvest the palm fruit")*
	good *(adjective)*

pa	hip uncover/expose *(usually applicable to taking off a piece of cloth/covering to reveal one's nakedness)*
pe	ejaculate *(verb)*
pu	bring *(swallowed food)* back up into the mouth bring something up *(e.g. "pu w'afu" meaning "bring your tummy up/make your tummy bigger")*
pi	heavily concentrated *(applicable to soup and other soluble substances)*
po	reject *(verb)* sea bark *(verb)*
pɛ	find/look for only *(adjective)* harmattan/dry
pɔ	bleach *(verb)* knot *(noun)*
wa	long/tall
we	chew *(verb)*
wo	you *(2nd person singular subject pronoun)*

	you *(2nd person singular object pronoun)* your *(2nd person singular possessive adjective)* give birth
wu	die
wɔ	pound *(verb)*
ya	painful
yi	remove shave *(verb)*
yɛ	do *(verb)* well/good

QUIZ 19

Write down 10 two-letter words that you know of and their meanings.

TWO-LETTER WORD	MEANING
1.	
2.	
3.	
4.	
5.	
6.	
7.	
8.	
9.	
10.	

CHAPTER

TWENTY-ONE

| Nsɛmmisa Nsɛmfua

QUESTION words

SAMPLE DIALOGUE 19 *TRACK 38*

Ama: **Ɛhe na wokɔeɛ?**

Where did you go?

Kofi: **Mekɔɔ sukuu.**

I went to school.

Ama: **Berɛ bɛn na wofirii sukuu mu?**

When did you leave school?

Kofi: **Prɛmtoberɛ.**

Noon.

Ama: **Ɛnneɛ adɛn na wokyɛɛ saa?**

Then why did you keep that long?

Kofi: **Mefaa me papa adwuma mu hɔ.**

I passed through my dad's workplace.

QUESTION WORDS | track 39

ENGLISH	TWI	USAGE
who?	hwan	**Hwan na ɔpraa ha?** *Who swept here?*
whom?		**Nwoma no yɛ hwan dea?** *The book belongs to whom?*
whose?		**Hwan sapɔ nie?** *Whose sponge is this?*
what?	**deɛn?**	**Deɛn na wopɛ?** *What do you want/like?*
	sɛn?	**Wo din de sɛn?** *Your name is what?*
why?	**adɛn?**	**Adɛn na woresu?** *Why are you crying?*
	deɛn nti?	**Deɛn nti na woayɛ komm?** *Why are you quiet?*
where?	**ɛhe?**	**ɛhe/ɛhefa na ɛwɔ?** *where is it located?*
	ɛhefa?	**ɛhe/ɛhefa na Kumase wɔ?** *where is Kumasi located?*
how?	**ɛkwan bɛn so?**	**ɛkwan bɛn so na mohyiaeɛ?** *How did you (plural) meet?*
	sɛn?	**nsɔhwɛ no kɔɔ sɛn?** *how did the exam go?*

when?	**berɛ bɛn?**	**berɛ bɛn na wobɛfiri ha?** *when will you leave here?* **berɛ bɛn na wotee ne nka?** *when did you hear from him/her?*
which?	**deɛhe?** **deɛ ɛwɔ he?** **bɛn?**	**deɛhe na abu?** *which is broken?* **ɛmu deɛhe/deɛ ɛwɔ he na w'ani gye ho?** *which (amongst the lot) do you like?* **aduane bɛn na wodiiɛ?** *which food did you eat?*

QUIZ 20

We introduced this chapter of the book with the dialogue below. Fill in the blank spaces with the appropriate question word. You may refer back to the vocabulary list above for help; NOT the sample dialogue.

Ama: ___________ **na wokɔeɛ?**

Where did you go?

Kofi: **Mekɔɔ sukuu.**

I went to school.

Ama: _________________ **na wofirii sukuu mu?**

When did you leave school?

Kofi: **Prɛmtoberɛ.**

Noon

Ama: **Ɛnneɛ** ________________ **na wokyɛɛ saa?**

Then why did you keep that long?

Kofi: **Mefaa me papa adwuma mu hɔ.**

I passed through my dad's workplace.

CHAPTER

TWENTY-TWO

|Ɔha Mu Nkyekyɛmu

PERCENTAGES

SAMPLE DIALOGUE 20   *TRACK 40*

Ama: **Kofi, mesrɛ wo boa me kakra.**

Kofi, please help me a little.

Kofi: **Yoo. Mmoa bɛn na wohia?**

Okay. What help do you need?

Ama: **Sidi mpem aduasa mu ɔha nkyɛmu aduonu yɛ sɛn?**

What value is 20% of GH¢30,000?

Kofi: **Ɛyɛ sidi mpem nsia.**

It is GH¢6,000.

Ama: **O meda wo ase pa ara.**

Oh I thank you very much.

PERCENTAGES | track 41

%	LONG FORM (TWI)	SHORT FORM (TWI)
5%	ɔha mu nkyekyɛmu num	ɔha mu nkyɛmu num
6%	ɔha mu nkyekyɛmu nsia	ɔha mu nkyɛmu nsia
7%	ɔha mu nkyekyɛmu nson	ɔha mu nkyɛmu nson
8%	ɔha mu nkyekyɛmu nwɔtwe	ɔha mu nkyɛmu nwɔtwe
9%	ɔha mu nkyekyɛmu nkron	ɔha mu nkyɛmu nkron
10%	ɔha mu nkyekyɛmu du	ɔha mu nkyɛmu du
15%	ɔha mu nkyekyɛmu dunum	ɔha mu nkyɛmu dunum
20%	ɔha mu nkyekyɛmu aduonu	ɔha mu nkyɛmu aduonu
25%	ɔha mu nkyekyɛmu aduonu num	ɔha mu nkyɛmu aduonu num
30%	ɔha mu nkyekyɛmu aduasa	ɔha mu nkyɛmu aduasa
35%	ɔha mu nkyekyɛmu aduasa num	ɔha mu nkyɛmu aduasa num
40%	ɔha mu nkyekyɛmu aduanan	ɔha mu nkyɛmu aduanan
45%	ɔha mu nkyekyɛmu aduanan num	ɔha mu nkyɛmu aduanan num
50%	ɔha mu nkyekyɛmu aduonum	ɔha mu nkyɛmu aduonum
55%	ɔha mu nkyekyɛmu aduonum num	ɔha mu nkyɛmu aduonum num

60%	**ɔha mu nkyekyɛmu aduosia**	**ɔha mu nkyɛmu aduosia**
65%	**ɔha mu nkyekyɛmu aduosia num**	**ɔha mu nkyɛmu aduosia num**
70%	**ɔha mu nkyekyɛmu aduɔson**	**ɔha mu nkyɛmu aduɔson**
75%	**ɔha mu nkyekyɛmu aduɔson num**	**ɔha mu nkyɛmu aduɔson num**
80%	**ɔha mu nkyekyɛmu aduɔwɔtwe**	**ɔha mu nkyɛmu aduɔwɔtwe**
85%	**ɔha mu nkyekyɛmu aduɔwɔtwe num**	**ɔha mu nkyɛmu aduɔwɔtwe num**
90%	**ɔha mu nkyekyɛmu aduɔkron**	**ɔha mu nkyɛmu aduɔkron**
95%	**ɔha mu nkyekyɛmu aduɔkron num**	**ɔha mu nkyɛmu aduɔkron num**
99%	**ɔha mu nkyekyɛmu aduɔkron nkron**	**ɔha mu nkyɛmu aduɔkron nkron**

QUIZ 21

Write the following percentages in Twi.

1. 77%
2. 26%
3. 48%
4. 22%
5. 59%
6. 31%
7. 10%
8. 63%
9. 17%
10. 80%

CHAPTER TWENTY-THREE

| Nnwuma

OCCUPATIONS

SAMPLE DIALOGUE 21 *TRACK 42*

Kofi: **Me papa yɛ ɔdwontoni.**

My father is a musician.

Ama: **Saa? Yɛfrɛ no sɛn?**

Really? What is his name?

Kofi: **Ofori Ampɔnsa.**

Ofori Amponsah.

Ama: **Ei ɔdwontoni Ofori Ampɔnsa yɛ wo papa?**

Ei the musician Ofori Amponsah is your father?

Kofi: **Aane.**

Yes.

Kofi: **Mefaa me papa adwuma mu hɔ.**

I passed through my dad's workplace.

OCCUPATIONS | track 43

ENGLISH	TWI
blacksmith	**ɔtomfoɔ**
bodyguard	**ɔhobammɔfoɔ**
boxer	**akuturukubɔfoɔ**
butcher	**nankwaseni**
banker	**sika korabea dwumayɛni**
carpenter	**kapenta** *(borrowed)*
cook/chef	**aduanenoafoɔ**
doctor	**ɔyaresafoɔ** **dɔkota** *(borrowed)*
driver	**ofidikafoɔ** **drɔbani**
farmer	**okuani**
fisherman	**ɔfareni**
footballer	**bɔɔlobɔfoɔ**
journalist	**nsɛntwerɛni**
judge/magistrate	**otemmuafoɔ**

jury	**apamfoɔ**
lawyer	**lɔyani** *(borrowed)* **mmaranimfoɔ**
mason	**ɔbotoni** **ɔdansifoɔ** **meesin** *(borrowed)*
nurse	**nɛɛse** *(borrowed)* **ayarehwɛdwuma mu boafoɔ**
parliamentarian	**mmarahyɛ badwani**
pastor	**ɔsɔfoɔ**
physician	**oduyɛfoɔ**
pilot	**wiemhyɛnkafoɔ**
police officer	**opolisini**
politician	**amanyɔni**
preacher	**ɔsɛmpakani**
president	**ɔmanpanin**
prophet	**ɔkɔmhyɛni**
seamstress	**adepamni** *(general)* **ɔbaa depamni** *(female-specific)*
secretary	**ɔtwerɛtwerɛni**

security/watchman	**ɔwɛmfoɔ**
singer/musician	**ɔdwontoni**
soldier	**ɔsraani**
tailor	**adepamni** *(general)* **barima depamni** *(male-specific)*
teacher	**ɔkyerɛkyerɛni** **tikya** *(borrowed)*
trader	**odwadini**

QUIZ 22

List 8 Occupations and their corresponding Twi names

ENGLISH	TWI
1.	
2.	
3.	
4.	
5.	
6.	
7.	
8.	

CHAPTER TWENTY-FOUR

(Nnipa) Nnyegyeɛ

HUMAN SOUNDS

SAMPLE DIALOGUE 22 — *TRACK 44*

Kofi: **Ama, adɛn na worehram?**

Ama, why are you yawning?

Ama: **Ɛkɔm de me.**

I am hungry.

Kofi: **Wobɛdi paanoo?**

Will you take (eat) bread?

Ama: **Dabi. Ɛma me bɔ wa, nwansi dodo.**

No. It makes me cough and sneeze a lot.

HUMAN SOUNDS | track 45

ENGLISH	TWI
belch/burp	**keesu**
blow the nose	**hwem**
cough	**bɔ wa** *(noun: ɛwa)*
hiccup	**kɔterekɔ**
laugh	**sere**
pant	**tee so**
scream/shout	**tea mu; team**
sigh	**gu ahomekokoɔ**
sneeze	**nwansi**
snore	**hwa nkorɔmo**
whistle	**bɔ hwerɛma**
yawn	**hram**

QUIZ 23

Fill in the blank spaces.

1. **Akosua __________________ dodo**

   Akosua snores a lot.

2. **Abɔfra no ___________ anɔpa biara.**

   The child laughs every morning.

3. **ɔbaa a ɔ___________________**

   A woman who whistles.

4. **Ampɔnsa _________________**

   Ampɔnsa shouts.

5. **___________ na popa.**

   Blow your nose and clean it up.

CHAPTER

TWENTY-FIVE

| Nkontabudeɛ

NUMBERS

NUMBERS |

NUMBER	TWI	ENGLISH
0	**ohunu** **hwee**	zero
1	**baako**	one
2	**mmienu**	two
3	**mmiɛnsa**	three
4	**ɛnan**	four
5	**enum**	five
6	**nsia**	six
7	**nson**	seven
8	**nwɔtwe**	eight
9	**nkron**	nine
10	**edu**	**ten**

NUMBER	TWI	ENGLISH
11	**dubaako**	eleven
12	**dumienu**	twelve

13	**dumiɛnsa**	thirteen
14	**dunan**	fourteen
15	**dunum**	fifteen
16	**dunsia**	sixteen
17	**dunson**	seventeen
18	**dunwɔtwe**	eighteen
19	**dunkron**	nineteen
20	**aduonu**	**twenty**

NUMBER	TWI	ENGLISH
21	**aduonu baako**	twenty-one
22	**aduonu mmienu**	twenty-two
23	**aduonu mmiɛnsa**	twenty-three
24	**aduonu nan**	twenty-four
25	**aduonu num**	twenty-five
26	**aduonu nsia**	twenty-six
27	**aduonu nson**	twenty-seven
28	**aduonu nwɔtwe**	twenty-eight

29	**aduonu nkron**	twenty-nine
30	**aduasa**	**thirty**

NUMBER	TWI	ENGLISH
31	**aduasa baako**	thirty-one
32	**aduasa mmienu**	thirty-two
33	**aduasa mmiɛnsa**	thirty-three
34	**aduasa nan**	thirty-four
35	**aduasa num**	thirty-five
36	**aduasa nsia**	thirty-six
37	**aduasa nson**	thirty-seven
38	**aduasa nwɔtwe**	thirty-eight
39	**aduasa nkron**	thirty-nine
40	**aduanan**	**forty**

NUMBER	TWI	ENGLISH
10	**edu**	ten
20	**aduonu**	twenty
30	**aduasa**	thirty

40	**aduanan**	forty
50	**aduonum**	fifty
60	**aduosia**	sixty
70	**aduɔson**	seventy
80	**aduɔwɔtwe**	eighty
90	**aduɔkron**	ninety
100	ɔha	**one hundred**

NUMBER	**TWI**	**ENGLISH**
101	**ɔha ne baako**	one hundred and one
102	**ɔha ne mmienu**	one hundred and two
103	**ɔha ne mmiɛnsa**	one hundred and three
104	**ɔha ne nan**	one hundred and four
105	**ɔha ne num**	one hundred and five
106	**ɔha ne nsia**	one hundred and six
107	**ɔha ne nson**	one hundred and seven
108	**ɔha ne nwɔtwe**	one hundred and eight
109	**ɔha ne nkron**	one hundred and nine

110	**ɔha ne du**	**one hundred and ten**

NUMBER	TWI	ENGLISH
111	**ɔha ne dubaako**	one hundred and eleven
112	**ɔha ne dumienu**	one hundred and twelve
113	**ɔha ne dumiɛnsa**	one hundred and thirteen
114	**ɔha ne dunan**	one hundred and fourteen
115	**ɔha ne dunum**	one hundred and fifteen
116	**ɔha ne dunsia**	one hundred and sixteen
117	**ɔha ne dunson**	one hundred and seventeen
118	**ɔha ne dunwɔtwe**	one hundred and eighteen
119	**ɔha ne dunkron**	one hundred and nineteen
120	**ɔha ne aduonu**	**one hundred and twenty**

NUMBER	TWI	ENGLISH
121	**ɔha ne aduonu baako**	one hundred and twenty-one
122	**ɔha ne aduonu mmienu**	one hundred and twenty-two
123	**ɔha ne aduonu mmiɛnsa**	one hundred and twenty-three
124	**ɔha ne aduonu nan**	one hundred and twenty-four

125	**ɔha ne aduonu num**	one hundred and twenty-five
126	**ɔha ne aduonu nsia**	one hundred and twenty-six
127	**ɔha ne aduonu nson**	one hundred and twenty-seven
128	**ɔha ne aduonu nwɔtwe**	one hundred and twenty-eight
129	**ɔha ne aduonu nkron**	one hundred and twenty-nine
130	**ɔha ne aduasa**	**one hundred and thirty**

NUMBER	**TWI**	**ENGLISH**
100	**ɔha**	one hundred
200	**ahanu**	two hundred
300	**ahasa**	three hundred
400	**ahanan**	four hundred
500	**ahanum**	five hundred
600	**ahansia**	six hundred
700	**ahanson**	seven hundred
800	**ahanwɔtwe**	eight hundred
900	**ahankron**	nine hundred
1,000	**apem**	**one thousand**

NUMBER	TWI	ENGLISH
1,001	**apem ne baako**	one thousand and one
1,002	**apem ne mmienu**	one thousand and two
1,003	**apem ne mmiɛnsa**	one thousand and three
1,004	**apem ne nan**	one thousand and four
1,005	**apem ne num**	one thousand and five
1,006	**apem ne nsia**	one thousand and six
1,007	**apem ne nson**	one thousand and seven
1,008	**apem ne nwɔtwe**	one thousand and eight
1,009	**apem ne nkron**	one thousand and nine
1,010	**apem ne du**	**one thousand and ten**

NUMBER	TWI	ENGLISH
1,011	**apem ne dubaako**	one thousand and eleven
1,012	**apem ne dumienu**	one thousand and twelve
1,013	**apem ne dumiɛnsa**	one thousand and thirteen
1,014	**apem ne dunan**	one thousand and fourteen
1,015	**apem ne dunum**	one thousand and fifteen

1,016	**apem ne dunsia**	one thousand and sixteen
1,017	**apem ne dunson**	one thousand and seventeen
1,018	**apem ne dunwɔtwe**	one thousand and eighteen
1,019	**apem ne dunkron**	one thousand and nineteen
1,020	**apem ne aduonu**	**one thousand and twenty**
1,021	**apem ne aduonu baako**	one thousand and twenty-one
1,022	**apem ne aduonu mmienu**	one thousand and twenty-two
1,023	**apem ne aduonu mmiɛnsa**	one thousand and twenty-three
1,024	**apem ne aduonu nan**	one thousand and twenty-four
1,025	**apem ne aduonu num**	one thousand and twenty-five
1,026	**apem ne aduonu nsia**	one thousand and twenty-six
1,027	**apem ne aduonu nson**	one thousand and twenty-seven
1,028	**apem ne aduonu nwɔtwe**	one thousand and twenty-eight
1,029	**apem ne aduonu nkron**	one thousand and twenty-nine
1,030	**apem ne aduasa**	**one thousand and thirty**

NUMBER	TWI	ENGLISH
1,010	**apem ne du**	one thousand and ten

1,020	**apem ne aduonu**	one thousand and twenty
1,030	**apem ne aduasa**	one thousand and thirty
1,040	**apem ne aduanan**	one thousand and forty
1,050	**apem ne aduonum**	one thousand and fifty
1,060	**apem ne aduosia**	one thousand and sixty
1,070	**apem ne aduɔson**	one thousand and seventy
1,080	**apem ne aduɔwɔtwe**	one thousand and eighty
1,090	**apem ne aduɔkron**	one thousand and ninety
1,100	**apem ne ɔha**	**one thousand one hundred**

NUMBER	**TWI**	**ENGLISH**
1,100	**apem ne ɔha**	one thousand one hundred
1,200	**apem ne ahanu**	one thousand two hundred
1,300	**apem ne ahasa**	one thousand three hundred
1,400	**apem ne ahanan**	one thousand four hundred
1,500	**apem ne ahanum**	one thousand five hundred
1,600	**apem ne ahansia**	one thousand six hundred
1,700	**apem ne ahanson**	one thousand seven hundred

1,800	**apem ne ahanwɔtwe**	one thousand eight hundred
1,900	**apem ne ahankron**	one thousand nine hundred
2,000	**mpenu** **mpem mmienu**	**two thousand**

NUMBER	**TWI**	**ENGLISH**
1,000	**apem**	one thousand
2,000	**mpenu** **mpem mmienu**	two thousand
3,000	**mpem mmiɛnsa**	three thousand
4,000	**mpem nan**	four thousand
5,000	**mpem num**	five thousand
6,000	**mpem nsia**	six thousand
7,000	**mpem nson**	seven thousand
8,000	**mpem nwɔtwe**	eight thousand
9,000	**mpem nkron**	nine thousand
10,000	**mpem du**	**ten thousand**

NUMBER	**TWI**	**ENGLISH**
10,000	**mpem du**	ten thousand

20,000	**mpem aduonu**	twenty thousand
30,000	**mpem aduasa**	thirty thousand
40,000	**mpem aduanan**	forty thousand
50,000	**mpem aduonum**	fifty thousand
60,000	**mpem aduosia**	sixty thousand
70,000	**mpem aduɔson**	seventy thousand
80,000	**mpem aduɔwɔtwe**	eighty thousand
90,000	**mpem aduɔkron**	ninety thousand
100,000	**mpem ɔha**	**one hundred thousand**

NUMBER	**TWI**	**ENGLISH**
100,000	**mpem ɔha**	one hundred thousand
200,000	**mpem ahanu**	two hundred thousand
300,000	**mpem ahasa**	three hundred thousand
400,000	**mpem ahanan**	four hundred thousand
500,000	**mpem ahanum**	five hundred thousand
600,000	**mpem ahansia**	six hundred thousand
700,000	**mpem ahanson**	seven hundred thousand

800,000	**mpem ahanwɔtwe**	eight hundred thousand
900,000	**mpem ahankron**	nine hundred thousand
1,000,000	**ɔpepem**	**one million**

NUMBER	TWI	ENGLISH
1,000,000	**ɔpepem**	one million
2,000,000	**ɔpepem mmienu**	two million
3,000,000	**ɔpepem mmiɛnsa**	three million
4,000,000	**ɔpepem nan**	four million
5,000,000	**ɔpepem num**	five million
6,000,000	**ɔpepem nsia**	six million
7,000,000	**ɔpepem nson**	seven million
8,000,000	**ɔpepem nwɔtwe**	eight million
9,000,000	**ɔpepem nkron**	nine million
10,000,000	**ɔpepem du**	**ten million**

NUMBER	TWI	ENGLISH
10,000,000	**ɔpepem du**	ten million
20,000,000	**ɔpepem aduonu**	twenty million

30,000,000	**ɔpepem aduasa**	thirty million
40,000,000	**ɔpepem aduanan**	forty million
50,000,000	**ɔpepem aduonum**	fifty million
60,000,000	**ɔpepem aduosia**	sixty million
70,000,000	**ɔpepem aduɔson**	seventy million
80,000,000	**ɔpepem aduɔwɔtwe**	eighty million
90,000,000	**ɔpepem aduɔkron**	ninety million
100,000,000	**ɔpepem ɔha**	**one hundred million**

NUMBER	TWI	ENGLISH
100,000,000	**ɔpepem ɔha**	one hundred million
200,000,000	**ɔpepem ahanu**	two hundred million
300,000,000	**ɔpepem ahasa**	three hundred million
400,000,000	**ɔpepem ahanan**	four hundred million
500,000,000	**ɔpepem ahanum**	five hundred million
600,000,000	**ɔpepem ahansia**	six hundred million
700,000,000	**ɔpepem ahanson**	seven hundred million
800,000,000	**ɔpepem ahanwɔtwe**	eight hundred million

900,000,000	**ɔpepem ahankron**	nine hundred million
1,000,000,000	**ɔpepepem**	**one billion**

HOW TO DOWNLOAD THE MP3 AUDIO FILES

Please visit https://gumroad.com/l/LVC3/739iy89 to download this book's accompanying MP3 audio files for free. Follow these simple instructions to download:

1. Go to https://gumroad.com/l/LVC3/739iy89
2. Click on the '**Buy this**' button
3. Enter your email address, and click the '**Get**' button
4. You will receive an email with a download link immediately. Please check your spam/junk folder if you don't receive the email notification in 2 minutes.

*If you require extra support in the download process, email me: learnakan@gmail.com or mytwidictionary@gmail.com.

Thank you for purchasing this book

For more, please visit our website:

www.learnakan.com

Our online Twi dictionary:

www.mytwidictionary.com

Our Facebook page:

www.facebook.com/learnakan

Our YouTube channel:

LearnAkan.Com

Made in the USA
Columbia, SC
15 March 2024